CW00429014

William Shakespeare

Antonius und Cleopatra

(Großdruck)

William Shakespeare: Antonius und Cleopatra (Großdruck)

Erstmals ins Deutsche übersetzt von Christoph Martin Wieland (1764). Die vorliegende Übersetzung stammt von Wolf Graf Baudissin. Erstdruck in: Shakspeare's dramatische Werke. Übersetzt von August Wilhelm Schlegel. Ergänzt und erläutert von Ludwig Tieck, Bd. 5, Berlin (Georg Andreas Reimer) 1831.

Neuausgabe
Herausgegeben von Theodor Borken
Berlin 2020

Der Text dieser Ausgabe folgt:
William Shakespeare: Sämtliche Werke in vier Bänden. Band 4, Herausgegeben von Anselm Schlösser. Berlin: Aufbau, 1975.

Umschlaggestaltung von Thomas Schultz-Overhage unter Verwendung des Bildes: Gerard de Lairesse, Cleopatras Banquet, 1675-80.

Gesetzt aus der Minion Pro, 16 pt, in lesefreundlichem Großdruck

ISBN 978-3-8478-4583-6

Die Deutsche Nationalbibliothek verzeichnet diese Publikation in der Deutschen Nationalbibliografie; detaillierte bibliografische Daten sind im Internet über www.dnb.de abrufbar.

Henricus Edition Deutsche Klassik UG (haftungsbeschränkt), Berlin
Herstellung: BoD – Books on Demand, Norderstedt

Personen

Marcus Antonius,
Octavius Cäsar,
M. Ämilius Lepidus, Triumvirn

Sextus Pompejus,
Domitius Enobarbus,
Ventidius,
Eros,
Scarus,
Dercetas,
Demetrius,
Philo, Freunde des Antonius

Mäcenas,
Agrippa,
Dolabella,
Proculejus,
Thyräus,
Gallus, Freunde des Cäsar

Menas,
Menecrates,
Varrius, Freunde des Pompejus

Taurus, Oberbefehlshaber unter Cäsar

Canidius, Oberbefehlshaber unter Antonius

Solius, ein Offizier in der Armee des Ventidius

Euphronius, ein Gesandter des Antonius an Cäsar

Alexas,
Mardian,
Seleucus,
Diomedes, im Dienste der Cleopatra

Ein Wahrsager

Ein Bauer

Cleopatra, Königin von Ägypten

Octavia, Cäsars Schwester, Gemahlin des Antonius

Charmion,
Iras, im Dienste der Cleopatra

Hauptleute, Soldaten, Boten und Gefolge

Erster Aufzug

Erste Szene

Alexandria. Ein Zimmer in Cleopatras Palast. Demetrius und Philo treten auf.

PHILO.
Nein, dieser Liebeswahnsinn unsres Feldherrn
Steigt übers Maß. Die tapfern, edlen Augen,
Die über Kriegsreih'n und Legionen glühten,
So wie der erzne Mars, sie heften sich
Und wenden ihrer Blicke Dienst und Andacht
Auf eine braune Stirn: sein Heldenherz,
Das im Gewühl der Schlachten sonst gesprengt
Die Spangen seiner Brust, fällt ab zur Schmach,
Und ist zum Fächer worden und zum Blas'balg,
Die lüsterne Zigeun'rin abzukühlen.
Seht da, sie kommen!

Trompetenstoß. Antonius und Cleopatra mit ihrem Gefolge und Verschnittnen, die ihr Luft zufächeln, treten auf.

Bemerkt ihn recht, so seht Ihr dann in ihm
Des Weltalls dritte Säule umgewandelt
Zum Narren einer Buhlerin: schaut hin und seht! –
CLEOPATRA.
Ist's wirklich Liebe, sag mir denn, wie viel?
ANTONIUS.
Armsel'ge Liebe, die sich zählen ließe! –
CLEOPATRA.
Ich will den Grenzstein setzen deiner Liebe!

ANTONIUS.
So mußt du neue Erd' und Himmel schaffen.

Ein Bote tritt auf.

BOTE.
Zeitung aus Rom, Herr!
ANTONIUS.
O Verdruß! Mach's kurz!
CLEOPATRA.
Nein, höre sie, Antonius:
Fulvia vielleicht ist zornig? Oder hat –
– Wer weiß es? – der dünnbärt'ge Cäsar
Sein Machtgebot gesandt: »Tu' dies und das!
Dies Reich erobre! Jenes mache frei!
Tu's gleich, sonst zürnen wir!«
ANTONIUS.
Wie nun! Geliebte!
CLEOPATRA.
Vielleicht – nein doch, gewiß
Darfst du nicht länger bleiben: Cäsar weigert
Dir fernern Urlaub! Drum, Antonius, hör' ihn! –
Wo ist Fulvias Aufruf? Cäsars meint' ich – beider?
– Die Boten ruft! – So wahr ich Königin,
Antonius, du erröt'st: dies Blut erkennt
Cäsarn als Herrn; wo nicht, zahlt Scham die Wange,
Wenn Fulvias Kreischen zankt. – Die Abgesandten! –
ANTONIUS.
Schmilz in die Tiber, Rom! Der weite Bogen
Des festen Reichs, zerbrich! Hier ist die Welt,
Thronen sind Staub: – die kot'ge Erde nährt
Wie Mensch, so Tier: der Adel nur des Lebens
Ist, so zu tun, wenn solch ein liebend Paar –

umarmt sie

Und solch Zwillingsgestirn es darf: worin
(Bei schwerer Ahndung wisse das die Welt!)
Wir unerreichbar sind.

CLEOPATRA.

Erhabne Lüge!
Wie ward Fulvia sein Weib, liebt' er sie nicht? –
So will ich Törin scheinen und nicht sein; –
Anton bleibt stets er selbst.

ANTONIUS.

Nur nicht, reizt ihn Cleopatra. Wohlan,
Zu Liebe unsrer Lieb' und süßen Stunden,
Nicht sei durch herb Gespräch die Zeit verschwendet:
Kein Punkt in unserm Leben, den nicht dehne
Noch neue Lust. Welch Zeitvertreib zu Nacht? –

CLEOPATRA.

Hör' die Gesandten!

ANTONIUS.

Pfui, zanksücht'ge Königin!
Der alles zierlich steht, Schelten und Lachen,
Und Weinen; jede Unart kämpft in dir,
Daß sie zur Schönheit und Bewund'rung wird. –
Kein Bote! Einzig dein, und ganz allein! –
Zu Nacht durchwandern wir die Stadt und merken
Des Volkes Launen. Komm, o Königin,
Noch gestern wünschtest du's. – Sprecht nicht zu uns!

Antonius mit Cleopatra und Gefolge ab.

DEMETRIUS.

Wie! schätzt Antonius Cäsarn so gering?

PHILO.

Zuzeiten, wenn er nicht Antonius ist,

Entzieht sich ihm die große, würd'ge Haltung,
Die stets ihn sollte schmücken.

DEMETRIUS.
Mich bekümmert's,
Daß er bekräftigt den gemeinen Lügner,
Der so von ihm in Rom erzählt. Doch hoff' ich
Morgen auf ein verständ'ger Tun. – Schlaft wohl! –

Beide ab.

Zweite Szene

Daselbst. Ein andres Zimmer. Es treten auf Charmion, Iras, Alexas und ein Wahrsager.

CHARMION. Herzens Alexas, süßer Alexas, ausbündigster Alexas, du allersublimiertester Alexas, wo ist der Wahrsager, den du der Königin so gerühmt? O kennte ich doch diesen Ehemann, der, wie du sagst, seine Hörner für Kränze ansieht! –

ALEXAS. Wahrsager! –

WAHRSAGER. Was wollt Ihr? –

CHARMION. Ist dies der Mann? Seid Ihr's, der alles weiß?

WAHRSAGER.
In der Natur unendlichem Geheimnis
Les' ich ein wenig.

ALEXAS.
Zeig' ihm deine Hand!

Enobarbus tritt auf.

ENOBARBUS.
Bringt das Bankett sogleich, und Wein genug,
Aufs Wohl Cleopatras zu trinken!

CHARMION. Freund, schenk' mir gutes Glück!

WAHRSAGER. Ich mach' es nicht, ich seh' es nur voraus.

CHARMION. Ersieh' mir eins!
WAHRSAGER. Ihr werdet noch an Schönheit zunehmen.
CHARMION. Er meint an Umfang.
IRAS. Nein, wenn du alt geworden bist, wirst du dich schminken.
CHARMION. Nur keine Runzeln! –
ALEXAS.
Stört den Propheten nicht! Gebt Achtung!
CHARMION.
Mum! –
WAHRSAGER. Ihr werdet mehr verliebt sein als geliebt.
CHARMION. Nein, lieber mag mir Wein die Leber wärmen.
ALEXAS. So hört ihn doch!
CHARMION. Nun ein recht schönes Glück: laß mich an einem Vormittage drei Könige heiraten und sie alle begraben; laß mich im funfzigsten Jahr ein Kind bekommen, dem Herodes, der Judenkönig, huldigt: sieh zu, daß du mich mit dem Octavius Cäsar verheiratest und meiner Gebieterin gleich stellst.
WAHRSAGER.
Ihr überlebt die Fürstin, der Ihr dient. –
CHARMION.
O trefflich! Langes Leben ist mir lieber als Feigen.
WAHRSAGER.
Ihr habt bisher ein beßres Glück erfahren,
Als Euch bevorsteht.
CHARMION. So werden meine Kinder wohl ohne Namen bleiben: – sage doch, wie viel Buben und Mädchen bekomme ich noch? –
WAHRSAGER.
Wenn jeder deiner Wünsche wär' ein Schoß,
Und fruchtbar jeder Wunsch, – 'ne Million.
CHARMION. Geh, Narr, ich vergebe dir, weil du ein Hexenmeister bist.

ALEXAS. Ihr meint, nur Eure Bettücher wüßten um Eure Wünsche?

CHARMION. Nun sag auch Iras' Zukunft!

ALEXAS. Wir wollen alle unser Schicksal wissen.

ENOBARBUS. Mein und der meisten Schicksal für heut abend wird sein – betrunken zu Bett.

IRAS. Hier ist eine flache Hand, die weissagt Keuschheit, wenn nichts anders.

CHARMION. Grade wie die Überschwemmung des Nils Hunger weissagt.

IRAS. Geh, du wilde Gesellin, du verstehst nichts vom Wahrsagen.

CHARMION. Nein, wenn eine feuchte Hand nicht ein Wahrzeichen von Fruchtbarkeit ist, so kann ich mir nicht das Ohr kratzen. – Bitte dich, sag ihr nur ein Alltagsschicksal!

WAHRSAGER. Euer Schicksal ist sich gleich.

IRAS. Doch wie? Doch wie? Sag mir's umständlicher!

WAHRSAGER. Ich bin zu Ende.

IRAS. Soll ich nicht um einen Zoll breit beßres Schicksal haben als sie? –

CHARMION. Nun, wenn dir das Schicksal just einen Zoll mehr gönnt, als mir, wo sollt' er hinkommen?

IRAS. Nicht an meines Mannes Nase.

CHARMION. O Himmel, beßre unsre bösen Gedanken! Alexas, komm; dein Schicksal, dein Schicksal! O laß ihn ein Weib heiraten, das nicht gehn kann, liebste Isis, ich flehe dich! Und laß sie ihm sterben, und gib ihm eine Schlimmere, und auf die Schlimmere eine noch Schlimmre, bis die Schlimmste von allen ihm lachend zu Grabe folgt, dem fünfzigfältigen Hahnrei! Gute Isis, erhöre dies Gebet, wenn du mir auch etwas Wichtiges abschlägst; gute Isis, ich bitte dich! –

IRAS. Amen! Liebe Göttin, höre dieses Gebet deines Volkes! Denn wie es herzbrechend ist, einen hübschen Mann mit einer lockern

Frau zu sehn, so ist's eine tödliche Betrübnis; wenn ein häßlicher Schelm unbehornt einhergeht: darum, lebe Isis, sieh auf den Anstand, und send' ihm sein verdientes Schicksal!

CHARMION. Amen!

ALEXAS. Nun seht mir! Wenn's in ihrer Hand stände, mich zum Hahnrei zu machen, sie würden zu Huren, um es zu tun.

ENOBARBUS.
Still da, Antonius kommt.

CHARMION.
Nicht er, die Fürstin.

Cleopatra kommt.

CLEOPATRA. Saht ihr Anton?

ENOBARBUS. Nein, Herrin.

CLEOPATRA. War er nicht hier?

CHARMION. Nein, gnäd'ge Frau.

CLEOPATRA.
Er war gestimmt zum Frohsinn, da, auf einmal
Ergriff ihn ein Gedank' an Rom … Enobarbus! –

ENOBARBUS. Fürstin? –

CLEOPATRA. Such' ihn und bring' ihn her! Wo ist Alexas?

ALEXAS. Hier, Fürstin, Euch zum Dienst. – Der Feldherr naht.

Antonius kommt mit einem Boten und Gefolge.

CLEOPATRA. Wir wollen ihn nicht ansehn. Geht mit uns.

Cleopatra, Enobarbus, Alexas, Iras, Charmion, Wahrsager und Gefolge ab.

BOTE.
Fulvia, dein Weib, erschien zuerst im Feld.

ANTONIUS.
Wider meinen Bruder Lucius?

BOTE.

Ja,
Doch bald zu Ende war der Krieg. Der Zeitlauf
Einte die zwei zum Bündnis wider Cäsar,
Des beßres Glück im Felde von Italien
Sie nach der ersten Schlacht vertrieb.

ANTONIUS.

Nun gut; –
Was Schlimmres? –

BOTE.

Der bösen Zeitung Gift macht krank den Boten.

ANTONIUS.

Wenn er sie Narr'n und Feigen meldet; weiter!
Mir ist Geschehnes abgetan. Vernimm,
Wer mir die Wahrheit sagt, und spräch' er Tod,
Ich hört' ihn an, als schmeichelt' er.

BOTE.

Labienus
(O harte Post!) hat mit dem Partherheer,
Vom Euphrat aus, sich Asien erobert:
Sein triumphierend Banner weht von Syrien
Bis Lydien und Jonien; indes ...

ANTONIUS.

Antonius, willst du sagen ...

BOTE.

O mein Feldherr!

ANTONIUS.

Sprich dreist, verfeinre nicht des Volkes Zunge,
Nenne Cleopatra, wie Rom sie nennt,
Tadle mit Fulvias Schmähn, schilt meine Fehler
Mit allem Freimut, wie nur Haß und Wahrheit
Sie zeichnen mag! Nur Unkraut tragen wir,

Wenn uns kein Wind durchschüttelt; und uns schelten,
Heißt nur rein jäten. Lebe wohl für jetzt!

BOTE.

Nach Eurem hohen Willen.

Ab.

ANTONIUS.

Was meldet man von Sicyon? Sag an.

ERSTER DIENER.

Der Bot' aus Sicyon! War nicht einer da?

ZWEITER DIENER.

Er harrt auf Euren Ruf.

ANTONIUS.

Laßt ihn erscheinen. –

Diener gehn.

– Die starke ägypt'sche Fessel muß ich brechen,
Sonst geh' in Lieb' ich unter. – Wer bist du? –

ZWEITER BOTE.

Fulvia, dein Weib, ist tot.

ANTONIUS.

Wo starb sie?

ZWEITER BOTE.

Herr,
In Sicyon:
Der Krankheit Dauer, und was sonst von Nachdruck
Dir frommt zu wissen, sagt dies Blatt. –

ANTONIUS.

Entfernt Euch! –

Bote ab.

Da schied ein hoher Geist! Das war mein Wunsch: –
Was wir verachtend oft hinweggeschleudert,
Das wünschen wir zurück: erfüllte Freude,
Durch Zeitumschwung ermattet, wandelt sich
Ins Gegenteil: gut ist sie nun, weil tot:
Nun reicht' ich gern die Hand, die ihr gedroht.
Fliehn muß ich diese Zauberkönigin:
Zehntausend Weh'n, und schlimmre, als ich weiß,
Brütet mein Müßiggang. He! – Enobarbus! –

Enobarbus kommt.

ENOBARBUS. Was wünscht Ihr, Herr? –

ANTONIUS. Ich muß in Eil' von hier.

ENOBARBUS. Nun, dann bringen wir alle unsre Weiber um: wir sehn ja, wie tödlich ihnen eine Unfreundlichkeit wird: wenn sie unsre Abreise überstehn müssen, so ist Tod die Losung.

ANTONIUS. Ich muß hinweg!

ENOBARBUS. Ist eine Notwendigkeit da, so laßt die Weiber sterben. Schade wär's, sie um nichts wegzuwerfen: aber ist von ihnen und einer wichtigen Sache die Rede, so muß man sie für nichts rechnen. Cleopatra, wenn sie nur das Mindeste hievon wittert, stirbt augenblicklich: ich habe sie zwanzigmal um weit armseligem Grund sterben sehn. Ich denke, es steckt eine Kraft im Tode, die wie eine Liebesumarmung auf sie wirkt, so ist sie mit dem Sterben bei der Hand.

ANTONIUS. Sie ist listiger, als man's denken kann! –

ENOBARBUS. Ach nein, Herr, nein; ihre Leidenschaften bestehn aus nichts, als aus den feinsten Teilen der reinen Liebe. Diese Stürme und Fluten können wir nicht Seufzer und Tränen nennen: das sind größere Orkane und Ungewitter, als wovon Kalender Meldung tun. List kann das nicht sein: wenn es ist, so macht sie ein Regenwetter so gut als Jupiter.

ANTONIUS. Hätt' ich sie nie gesehen! –

ENOBARBUS. O Herr, dann hättet Ihr ein wundervolles Meisterwerk ungesehn gelassen: Euch diese Freude versagen, würde Eure Reise um allen Kredit gebracht haben.

ANTONIUS. Fulvia ist tot.

ENOBARBUS. Herr?

ANTONIUS. Fulvia ist tot.

ENOBARBUS. Fulvia?

ANTONIUS. Tot!

ENOBARBUS. Nun, Herr, so bringt den Göttern ein Dankopfer! Wenn es ihrer himmlischen Regierung gefällt, einem Mann seine Frau zu nehmen, so gedenke er an die Schneider hier auf Erden, und beruhige sich damit, daß, wenn alte Kleider aufgetragen wurden, diese dazu gesetzt sind, neue zu machen. Gäbe es nicht mehr Weiber, als Fulvia, so wäre es allerdings ein Elend, und die Geschichte stände schlimm. Dieser Gram ist mit Trost gekrönt: aus Euerm alten Weiberhemd läßt sich ein neuer Unterrock machen: und in der Tat, die Tränen müssen in einer Zwiebel leben, die um diesen Kummer flössen.

ANTONIUS.
Die Unruh'n, die sie mir im Staat erregt,
Erlauben mir nicht mehr, entfernt zu sein.

ENOBARBUS. Und die Unruhe, die Ihr hier erregt habt, erlaubt nicht, daß Ihr geht: besonders die der Cleopatra, die allein von Eurem Hiersein lebt.

ANTONIUS.
Nicht leichter Reden mehr! Unsern Beschluß
Tu' kund den Führern! Ich verständ'ge dann
Der Königin den Anlaß dieser Eil',
Urlaub von ihrer Liebe fordernd. Nicht allein
Der Fulvia Tod und andre ernste Mahnung
Ruft uns nachdrücklich; andre Briefe auch,

Von vielen wohlbemühten röm'schen Freunden,
Verlangen uns daheim. Sextus Pompejus
Hat Cäsarn Trotz geboten, und beherrscht
Das weite Meer: das wankelmüt'ge Volk
(Des Gunst nie fest dem Wohlverdienten bleibt,
Bis sein Verdienst vorüber) wirft nun schon,
Was je Pompejus nur, der Große, tat,
Auf seinen Sohn, der hoch in Macht und Namen,
Und höher noch durch Mut und Kraft ersteht,
Als Held des Heeres. Sein Ansehn, wächst es ferner,
Bedroht den Bau der Welt. – Viel brütet jetzt,
Das gleich dem Roßhaar nur erst Leben hat,
Noch nicht der Schlange Gift. – Geh und verkünde
Des Heers Hauptleuten, unser Wille fordre
Schleunigen Aufbruch aller!

ENOBARBUS.
Ich besorg' es.

Beide ab.

Dritte Szene

Es treten auf Cleopatra, Charmion, Iras und Alexas.

CLEOPATRA.
Wo ist er?

CHARMION.
Ich sah ihn nicht seitdem.

CLEOPATRA.
Sieh, wo er ist, wer mit ihm, was er tut
(Ich schickte dich nicht ab): find'st du ihn traurig,
Sag ihm, ich tanze; ist er munter, meld' ihm,
Ich wurde plötzlich krank. Schnell bring' mir Antwort!

Alexas ab.

CHARMION.

Fürstin, mir scheint, wenn Ihr ihn wirklich liebt,
Ihr wählt die rechte Art nicht, ihn zur Liebe
Zu zwingen.

CLEOPATRA.

Und was sollt' ich tun und lass' es?

CHARMION.

Gebt immer nach, laßt Euch von ihm nur führen!

CLEOPATRA.

Törichter Rat! Der Weg, ihn zu verlieren! –

CHARMION.

Versucht ihn nicht zu sehr; ich bitt', erwägt:
Wir hassen bald, was oft uns Furcht erregt.

Antonius kommt.

Doch seht, er kommt.

CLEOPATRA.

Ich bin verstimmt und krank.

ANTONIUS.

Es quält mich, meinen Vorsatz ihr zu sagen.

CLEOPATRA.

Hilf, liebe Charmion, hilf, ich sinke hin:
So kann's nicht dauern, meines Körpers Bau
Wird unterliegen.

ANTONIUS.

Teure Königin ...

CLEOPATRA.

Ich bitt' dich, steh mir nicht so nah! –

ANTONIUS.

Was gibt's?

CLEOPATRA.

Ich seh' in diesem Blick die gute Zeitung!

Was sagt die Eh'gemahlin? Geh nur, geh!
Hätte sie dir's doch nie erlaubt, zu kommen!
Sie soll nicht sagen, daß ich hier dich halte;
Was kann ich über dich? Der Ihre bist du!

ANTONIUS.
Die Götter wissen ...

CLEOPATRA.
Nie ward eine Fürstin
So schrecklich je getäuscht. Und doch, von Anfang
Sah ich die Falschheit keimen.

ANTONIUS.
Cleopatra ...

CLEOPATRA.
Wie soll ich glauben, du seist mein und treu,
Erschüttert auch dein Schwur der Götter Thron,
Wenn du Fulvia verrietst? Schwelgender Wahnsinn,
An solchen mundgeformten Eid sich fesseln,
Der schon im Schwur zerbricht! –

ANTONIUS.
Geliebte Fürstin ...

CLEOPATRA.
Nein, such' nur keine Färbung deiner Flucht!
Geh, sag Lebwohl: als du zu bleiben flehtest,
Da galt's zu sprechen: damals nichts von Gehn! –
In unserm Mund und Blick war Ewigkeit,
Wonn' auf den Brau'n, kein Tropfen Blut so arm,
Der Göttern nicht entquoll: und so ist's noch,
Oder, der größte Feldherr, du, der Welt,
Wurdest zum größten Lügner.

ANTONIUS.
Mir das! Wie!

CLEOPATRA.

Hätt' ich nur deine Sehnen, daß du sähst,
Auch in Ägypten gäb's ein Herz ...

ANTONIUS.

Vernimm,
Der Zeiten strenger Zwang heischt unsern Dienst
Für eine Weile: meines Herzens Summe
Bleibt dein hier zum Gebrauch. Unser Italien
Blitzt rings vom Bürgerstahl: Sextus Pompejus
Bedroht mit seinem Heer die Häfen Roms:
Die Gleichheit zweier heim'schen Mächte zeugt
Gefährliche Parteiung: – stark geworden,
Liebt man die sonst Verhaßten: der verbannte
Pompejus, reich durch seines Vaters Ruhm,
Schleicht in die Herzen aller, die im Staat
Jetzt nicht gedeihn, und deren Menge schreckt: –
Und Ruhe, krank durch Frieden, sucht verzweifelnd
Heilung durch Wechsel. Doch ein näh'rer Grund,
Und der zumeist mein Gehn Euch sollt' entschuld'gen,
Ist Fulvias Tod.

CLEOPATRA.

Wenn mich das Alter auch nicht schützt vor Torheit,
Doch wohl vor Kindischsein. Kann Fulvia sterben? –

ANTONIUS.

Geliebte, sie ist tot.
Sieh hier, in übermüß'ger Stunde lies
Die Händel, die sie schuf: zuletzt ihr Bestes,
Sieh, wann und wo sie starb!

CLEOPATRA.

O falsches Lieben.
Wo sind Phiolen, die du füllen solltest
Mit Tau des Grams? Nicht Fulvias Tod beweinen,

Zeigt mir, wie leicht du einst erträgst den meinen.

ANTONIUS.

Zanke nicht mehr. Nein, sei gefaßt zu hören,
Was ich für Plan' entwarf: sie stehn und fallen,
Wie du mir raten wirst. Ja, bei dem Feuer,
Das Nilus' Schlamm belebt, ich geh' von hier,
Dein Held, dein Diener: Krieg erklär' ich, Frieden,
Wie dir's gefällt.

CLEOPATRA.

Komm, Charmion, schnür' mich auf!
Nein, laß nur, mir wird wechselnd schlimm und wohl,
Ganz wie Antonius liebt.

ANTONIUS.

Still, teures Kleinod!
Gib beßres Zeugnis seiner Treu'; die strengste
Prüfung wird sie bestehn.

CLEOPATRA.

Das lehrt mich Fulvia!
O bitte, wende dich und wein' um sie,
Dann sag mir Lebewohl, und sprich: die Tränen
Sind für Ägypten: spiel' uns eine Szene
Ausbünd'ger Heuchelei, und mag sie gelten
Für echte Ehre! –

ANTONIUS.

Du erzürnst mich! Laß! –

CLEOPATRA.

Das geht schon leidlich: doch du kannst es besser.

ANTONIUS.

Bei meinem Schwert ...

CLEOPATRA.

Und Schild: – er spielt schon besser,
Doch ist's noch nicht sein Bestes. Sieh nur, Charmion,

Wie tragisch dieser röm'sche Herkules
Auffährt in seinem Grimm!

ANTONIUS.
So leb denn wohl!

CLEOPATRA.
Höflicher Herr, ein Wort:
Wir beide müssen scheiden, doch das ist's nicht, –
Wir beide liebten einst, – doch das ist's auch nicht, –
Das wißt Ihr wohl: – Was war's doch, das ich meinte?
O mein Gedächtnis ist recht ein Antonius,
Und ich bin ganz vergessen!

ANTONIUS.
Wär' nicht Torheit
Die Dien'rin deines Throns, so hielt' ich dich
Für Torheit selbst.

CLEOPATRA.
O schwere Müh' des Lebens,
Dem Herzen nahe solche Torheit tragen,
Wie diese ich! Doch, teurer Freund, vergib mir,
Denn Tod bringt mir mein Treiben, wenn es dir
Nicht gut ins Auge fällt. Dich ruft die Ehre,
Hör' denn auf meinen eiteln Wahnsinn nicht!
Und alle Götter mit dir! Siegeslorbeer
Kränze dein Schwert, und mühelos Gelingen
Bahne den Weg vor deinen Füßen!

ANTONIUS.
Komm;
Es flieht zugleich und weilet unsre Trennung:
Denn du, hier thronend, gehst doch fort mit mir,
Und ich, fortschiffend, bleibe doch mit dir. –
Hinweg!

Alle ab.

Vierte Szene

Rom. Ein Zimmer in Cäsars Hause. Es treten auf Octavius Cäsar, Lepidus und Gefolge.

CÄSAR.

Ihr seht nun, Lepidus, und wißt hinfort,
Es ist nicht Cäsars neid'sche Art, zu hassen;
Den großen Mitbewerber. Aus Ägypten;
Schreibt man uns dies: er fischt und trinkt, verschwendet
Der Nächte Kerzen schwelgend, nicht mehr Mann
Als diese Kön'gin, noch Cleopatra
Mehr Weib als er. Kaum sprach er die Gesandten,
Noch dacht' er seiner Mitregenten. – In ihm seht
Den Mann, der alle Fehler in sich faßt,
Die jedermann verlocken.

LEPIDUS.

Doch denk' ich, hegt er
Nicht so viel Sünde, all sein Gut zu schwärzen: –
Denn seine Fehler, wie die Sterne, glänzen
Heller in schwarzer Nacht: sind angestammt
Mehr als erworben: unwillkürlich mehr,
Als freie Wahl.

CÄSAR.

Ihr seid zu duldsam. Sei es auch verzeihlich,
Sich auf des Ptolemäus Lager wälzen,
Mit Kronen zahlen einen Scherz, umtrinken
Zur Wette nach der Kunst mit jedem Sklaven,
Am hellen Tag die Stadt durchtaumeln, balgen
Mit Schuften, schweißbetrieft: das steh' ihm an
(Und dessen Anstand, traun, muß selten sein,
Den solches nicht entehrt): doch für Antonius
Gibt's kein Entschuld'gen seiner Schmach, wenn wir

So schwer an seinem Leichtsinn tragen. Füllt' er
Die leeren Stunden sich mit Wollust aus,
Vertrocknet Mark und Ekel zögen ihn
Zur Rechenschaft: – doch solche Zeit verwüsten,
Die ihn vom Schmerz wegtrommelt – und so laut,
Wie Weltherrschaft nur mahnt: das muß man schelten,
Wie man den Knaben schmält, der, wohlerfahren,
Einsicht der Lust des Augenblicks hinopfert,
Empört dem eignen Urteil.

Ein Bote tritt auf.

LEPIDUS.
Neue Botschaft!

BOTE.
Erfüllt ist dein Gebot; zu jeder Stunde,
Erhabner Cäsar, sollst du Nachricht hören,
Wie's auswärts steht. Pompejus herrscht zur See,
Und wie es scheint, gewann er sich die Herzen,
Die Cäsarn nur gefürchtet. Zu den Häfen
Strömen die Mißvergnügten; höchst gekränkt
Nennt ihn die Menge.

CÄSAR.
Konnt' ich mir's doch denken! –
Vom ersten Anbeginn lehrt die Geschichte,
Daß, wer hoch steht, ersehnt wird, bis er stand!
Wer strandet – nie zuvor der Liebe wert –,
Teuer erscheint, wenn man ihn mißt: der Haufe,
Gleich einer Flagg' umtreibend in der Strömung,
Schwimmt vor, zurück, die Wechselfluten geißelnd,
Und ihn zerstört die Reibung.

BOTE.
Höre ferner:

Menecrates und Menas, mächtige Piraten,
Herrschen im Meer, und pflügen und verwunden's
Mit Kielen aller Art: manch frecher Einbruch
Verheert Italien: alles Volk der Küste
Erblaßt vor Schreck: die kühne Jugend zürnt,
Kein Segel taucht nur auf, es wird gekapert,
Wie man's erblickt: Pompejus' Name schadet
Mehr als sein Heer im offnen Krieg.

CÄSAR.

Antonius,
Laß deine üpp'gen Becher! Als geschlagen
Du zogst von Mutina, wo du die Konsuln
Hirtius und Pansa erst besiegt, da folgte
Der Hunger deinen Fersen: den bestandst du
(Obgleich so zart gewöhnt) mit mehr Geduld,
Als Wilde selbst vermöchten; ja, du trankst
Den Harn der Rosse und den falben Schlamm,
Der Vieh zum Ekel zwänge: dein Gaum verschmähte
Die herbste Beere nicht auf rauhster Hecke:
Ja, wie der Hirsch, wenn Schnee die Weide deckt,
Nagt'st du der Bäume Rinden: auf den Alpen
(Erzählt man) aßest du so ekles Fleisch,
Daß mancher starb, es nur zu sehn: und alles
(O Schande deinem Ruhm, daß ich's erzähle!)
Trugst du so heldenmütig, daß die Wange
Dir nicht einmal erbleichte.

LEPIDUS.

Schad' um ihn! –

CÄSAR.

Die Schande treib' ihn bald
Nach Rom zurück: Zeit wär's dem Zwillingspaar,
Daß wir im Feld uns zeigten: dem gemäß

Ruf' mir den Rat zusammen, denn Pompejus
Gedeiht durch unser Säumen.

LEPIDUS.
Morgen, Cäsar,
Werd' ich vermögend sein, dir zu berichten,
Was ich zu Meer und Land versammeln kann,
Die Stirn der Zeit zu bieten.

CÄSAR.
Bis dahin
Sei dies auch meine Sorge. Lebe wohl! –

LEPIDUS.
Lebt wohl denn, Cäsar! Meldet man Euch mehr,
Was sich im Ausland regt, ersuch' ich Euch,
Mir's mitzuteilen.

CÄSAR.
Zweifelt nicht daran,
Ich kenn's als meine Pflicht.

Alle ab.

Fünfte Szene

Alexandria. Ein Zimmer im Palast. Es treten auf Cleopatra, Charmion, Iras und Mardian.

CLEOPATRA.
Charmion. ...

CHARMION.
Eu'r Hoheit?

CLEOPATRA.
Ach!
Gib mir Mandragora zu trinken!

CHARMION.
Wie?

CLEOPATRA.

Daß ich die große Kluft der Zeit durchschlafe,
Wo mein Antonius fort ist!

CHARMION.

Allzuviel
Denkt Ihr an ihn.

CLEOPATRA.

Du sprichst Verrat.

CHARMION.

O nein!

CLEOPATRA.

Du Hämling, Mardian!

MARDIAN.

Was gefällt Eu'r Hoheit?

CLEOPATRA.

Nicht jetzt dich singen hören: Nichts gefällt mir
An einem Hämling. Es ist gut für dich,
Daß ohne Saft und Mark dein freier Sinn
Nicht fliehn mag aus Ägypten. – Kannst du lieben?

MARDIAN.

Ja, gnäd'ge Fürstin.

CLEOPATRA.

In der Tat?

MARDIAN.

Nicht in der Tat: Ihr wißt, ich kann nichts tun,
Was in der Tat nicht ehrsam wird getan.
Doch fühl' ich heft'ge Trieb', und denke mir,
Was Venus tat mit Mars.

CLEOPATRA.

O liebe Charmion,
Wo denkst du dir ihn jetzt? Sag, steht er? sitzt er?
Wie, geht er wohl? Sitzt er auf seinem Pferd?

O glücklich Pferd, Antonius' Last zu tragen!
Sei stolz, mein Pferd! Weißt du wohl, wen du trägst?
Den halben Atlas dieser Erde, Schild
Und Schutz der Welt! – Jetzt spricht er, oder murmelt:
»Wo weilst du, meine Schlang' am alten Nil?«
Denn also nennt er mich. Jetzt weid' ich mich
Am allzusüßen Gift! Gedenke mein,
Ob auch von Phöbus' Liebesstichen braun
Und durch die Zeit gerunzelt! Als du hier
Ans Ufer tratst, breitstirn'ger Cäsar, war ich
Wert eines Königs: Held Pompejus stand
Und ließ sein Aug' auf meinen Brauen wurzeln;
Da warf sein Blick den Anker ein, er starb
Im Anschaun seines Lebens.

Alexas kommt.

ALEXAS.
Herrin Ägyptens, Heil!
CLEOPATRA.
Wie ganz unähnlich bist du Marc Anton!
Doch sahst du ihn: die köstliche Tinktur
Vergoldet dich mit ihrem Glanz.
Wie geht es meinem edlen Marc Anton?
ALEXAS.
Sein Letztes, Fürstin, war:
Er küßte – vieler Doppelküsse letzter –
Die Perle hier: sein Wort lebt mir im Herzen.
CLEOPATRA.
Von dort muß es mein Ohr sich pflücken.
ALEXAS.
»Freund«,
So sagt' er mir, »sprich du:

Der treue Römer schickt der großen Königin
Dies Kleinod einer Muschel: ihr zu Füßen,
Dies Nichts zu bessern, streu' ich Königreiche
Vor ihren üpp'gen Thron: der ganze Ost,
Sprich, soll sie Kön'gin nennen«: – nickt mir zu,
Und steigt gelassen auf sein hohes Streitroß,
Des helles Wiehern, was ich gern erwidert,
Zu tier'schem Schweigen brachte.

CLEOPATRA.

War er munter oder ernst?

ALEXAS.

Der Jahrszeit gleich, die auf der Mitte schwebt
Von heiß und kalt: er war nicht ernst noch munter.

CLEOPATRA.

O wohl geteilte Stimmung! O bemerk' ihn, Charmion!
Bemerk' ihn, Charmion, welch ein Mann! O merk' ihn!
Er war nicht ernst, denn die wollt' er beglänzen,
Die heiter sind durch ihn: er war nicht munter:
Dies schien zu sagen, sein Erinnern weile
Mit seiner Lust hier: sondern zwischen beiden.
O himmlische Vermischung! Ernst und munter,
Das Äußerste von beiden steht dir so,
Wie keinem Manne sonst. – Trafst du die Boten?

ALEXAS.

Ja, Fürstin, zwanzig auf demselben Wege;
Warum so dicht?

CLEOPATRA.

Wer an dem Tag geboren,
Wo ich vergaß an Marc Anton zu schreiben,
Der sterb' als Bettler! – Papier und Tinte, Charmion! –
Willkommen, mein Alexas! – Sag mir, Charmion,
Liebt' ich je Cäsarn so?

CHARMION.

Du edler Cäsar!

CLEOPATRA.

Erstick', wenn du den Ausruf wiederholst!
Sprich, edler Marc Anton!

CHARMION.

Der tapfre Cäsar! –

CLEOPATRA.

Bei Isis, deine Zähne werden bluten,
Wenn du mit Cäsarn irgend noch vergleichst
Den ersten aller Männer!

CHARMION.

Mit Vergunst,
Ich sing' in Euerm Tone.

CLEOPATRA.

Meine Milchzeit,
Als mein Verstand noch grün! – Du kaltes Herz,
Das noch wie damals fühlt! Doch eile nun;
Ein stündlich wiederholtes Liebeswort
Grüß' ihn von mir, entvölkr' ich auch Ägypten!

Alle ab.

Zweiter Aufzug

Erste Szene

Messina. Ein Zimmer in Pompejus' Hause. Es treten auf Pompejus, Menecrates und Menas.

POMPEJUS.
Sind sie gerecht, die Götter, schützen sie
Die Taten der Gerechten.
MENECRATES.
Denkt, Pompejus:
Was sie verzögern, nicht verweigern sie's.
POMPEJUS.
Indes wir flehn vor ihrem Throne, welkt
Die Gab', um die wir flehn.
MENECRATES.
Wir Blinden bitten
Oft unser eignes Land, das weise Mächte
Zu unserm Wohl versagt: so sind wir reicher
Durch des Gebets Verlust.
POMPEJUS.
Ich muß gedeihn!
Mich liebt das Volk, mein ist das ganze Meer,
Mein Glück ist Neumond, mein prophetisch Hoffen
Sieht schon die volle Scheibe. Marc Anton
Hält Tafel in Ägypten, wird nicht draußen
Zu Felde ziehn: Cäsar macht Geld, wo Herzen
Er einbüßt: beiden schmeichelt Lepidus,
Läßt sich von beiden schmeicheln, und liebt keinen,
Und keiner hält ihn wert.

MENECRATES.

Cäsar und Lepidus
Stehn schon im Feld, mit großer Macht gerüstet.

POMPEJUS.

Wer sagt Euch das? ’s ist falsch.

MENECRATES.

Das sagte Silvius.

POMPEJUS.

Er träumt: ich weiß, sie sind in Rom zusammen,
Und harren auf Anton: doch Liebreiz würze
Der üpp’gen Cleopatra dünne Lippen,
Zauber erhöh’ die Schönheit, Wollust beide;
Den Schwelger bind’ ein Heer von Festgelagen,
Sein Hirn umnebelnd: Epikur’sche Köche
Schärfen mit kräftig neuen Brüh’n die Eßlust,
Daß Schlaf und Schwelgen seinen Ruhm vertagen,
Bis zur Betäubung Lethes! Was bringt Varrius?

Varrius tritt auf.

VARRIUS.

Was ich zu melden hab’, ist zuverlässig:
Antonius kann zu jeder Stund’ in Rom
Eintreffen; seit er Afrika verließ,
War Raum für weitre Reise.

POMPEJUS.

Mir wäre kleinre Zeitung weit willkommner.
Menas, ich glaube nicht,
Daß um so dürft’gen Krieg der Liebesschwärmer
Den Helm sich aufgesetzt: sein Feldherrngeist
Ist zwiefach der der beiden: doch erheb’ uns
So höher das den Mut, daß unser Zug
Den nimmer lustgesättigten Anton

Dem Schoß der Witw' Ägyptens konnt' entreißen.

MENAS.

Ich glaube nie,
Daß Cäsar und Anton sich freundlich grüßen.
Sein Weib, nun tot, hat Cäsarn schwer gereizt,
Sein Bruder kriegte gegen ihn, obwohl
Nicht auf Antons Geheiß.

POMPEJUS.

Ich weiß nicht, Menas,
Wie bald der größern Feindschaft kleinre weicht:
Ständen wir jetzt nicht gegen alle auf,
Gerieten sie ohn' Zweifel an einander;
Denn Anlaß haben alle längst genug,
Das Schwert zu ziehn: doch wie die Furcht vor uns
Ein Leim wird ihrer Trennung und verknüpft
Die kleine Spaltung, wissen wir noch nicht. –
Sei's, wie's die Götter fügen! Unser Leben
Steht auf dem Spiel, wenn wir nicht mutig streben.
Komm, Menas!

Alle ab.

Zweite Szene

Rom. Im Hause des Lepidus. Es treten auf Enobarbus und Lepidus.

LEPIDUS.

Mein Enobarbus, es ist wohlgetan,
Und bringt dir Ruhm, bewegst du deinen Feldherrn
Zu mildem sanften Wort.

ENOBARBUS.

Ich werd' ihn bitten,
Zu reden wie er selbst. Reizt Cäsar ihn,

So schau' Anton auf Cäsars Haupt herab,
Und donnre laut wie Mars! Beim Jupiter,
Hätt' ich Antonius' Bart an meinem Kinn,
Heut schör' ich ihn nicht ab!

LEPIDUS.
's ist nicht die Zeit
Für Zwist der einzelnen.

ENOBARBUS.
Jegliche Zeit
Paßt wohl für das, was sie zutage bringt.

LEPIDUS.
Doch muß das Kleine sich dem Größern fügen!

ENOBARBUS.
Nicht, kommt das Kleine erst.

LEPIDUS.
Ihr sprecht im Zorn;
Doch stört nicht auf die Asche! Seht, hier kommt
Der edle Marc Anton.

Antonius und Ventidius treten auf.

ENOBARBUS.
Und dort kommt Cäsar.

Cäsar, Mäcenas und Agrippa treten auf.

ANTONIUS.
Im Fall wir einig werden, dann nach Parthien;
Hörst du, Ventidius? –

CÄSAR.
Frage den Agrippa,
Mäcen; ich weiß es nicht.

LEPIDUS.
Erhabne Freunde,

Was uns vereinte, war so groß; nun laßt nicht
Geringen Zwist uns trennen! Was zu tadeln,
Hört es mit Nachsicht an: verhandeln wir
Den nicht'gen Streit so laut, dann wird ein Mord,
Was Wunden sollte heilen. Drum, edle Freunde
(Und um so mehr, je ernstlicher ich bitte),
Berührt mit mildstem Wort die herbsten Punkte,
Daß Laune nicht das Übel mehre!

ANTONIUS.

Wohl gesprochen;
Und ständ' ich vor dem Heer zum Kampf bereit,
Ich dächte so.

CÄSAR.

Willkomm' in Rom!

ANTONIUS.

Habt Dank!

CÄSAR.

Setzt Euch!

ANTONIUS.

Setzt Euch, Herr!

CÄSAR.

Nun! So ...

ANTONIUS.

Ich seh', Ihr findet Anstoß, wo nichts ist,
Und wär's, Euch nicht betrifft.

CÄSAR.

Von mir, zum Lachen,
Wenn um ein Nichts, ein Weniges, ich mich hielt'
Von Euch beleidigt; und vor allen Menschen
Von Euch zumeist: – noch lächerlicher, daß ich
Nur einmal Euch mit Abschätzung genannt,
Wenn Euern Namen auch nur auszusprechen

Mir fern lag.

ANTONIUS.

Mein Verweilen in Ägypten,
Was war es Euch?

CÄSAR.

Nicht mehr, als Euch mein Walten hier in Rom
Mocht' in Ägypten sein: doch wenn Ihr dort
Was gegen mich geschmiedet, war mir wichtig
Euer Verweilen in Ägypten.

ANTONIUS.

Wie nun! was nennt Ihr »schmieden«?

CÄSAR.

Geliebt's Euch, faßt Ihr wohl, was ich bezeichne,
Aus dem, was hier mich traf. Eu'r Weib und Bruder
Bekriegten mich: für ihren Anlauf wart
Der Vorwand Ihr: Ihr wart das Feldgeschrei!

ANTONIUS.

Ihr irrt in Eurer Ansicht. Nie berief sich
Mein Bruder je auf mich. Ich forschte nach,
Und hab' aus sichrer Kunde die Gewißheit
Von Euern Freunden selbst: bekämpft' er nicht
Mein eignes Ansehn, wie das Eurige?
Führt' er den Krieg nicht meinem Sinn entgegen,
Der Euch verbündet war? All meine Briefe
Beweisen's klar: drum, wollt Ihr Händel flicken
(Denn nicht aus ganzem Tuch könnt Ihr sie schneiden),
So muß es dies nicht sein.

CÄSAR.

Ihr preist Euch selbst,
Indem Ihr schwach mein Urteil nennt; doch Ihr
Flickt nur Entschuld'gung so.

ANTONIUS.

O nein, o nein,
Es kann Euch nicht entgehn, ich weiß gewiß,
Die sichre Folg'rung: daß, mit Euch vereint
In jener Sach', um die er Krieg geführt,
Ich nie mit Lust den Zwist betrachten konnte,
Der meine Ruh' bedroht. – Was Fulvia tat,
– Ich wünscht' Euch, solch ein Geist regiert' Eu'r Weib!
Ihr lenkt der Erde Dritteil: mit 'nem Halfter
Zügelt Ihr's leicht, doch nimmer solch ein Weib.

ENOBARBUS.

Hätten wir doch alle solche Weiber, daß die
Männer mit ihren Weibern in den Krieg gehn könnten! –

ANTONIUS.

Ganz widerspenstig hatt' ihr Kampftumult,
Erregt von ihrem Jähzorn, dem nicht fehlte
Der Klugheit bittre Schärfe – (mit Euch beklag' ich's) –,
Euch Unruh' viel erregt. Doch gebt mir zu,
Dies ändern konnt' ich nicht.

CÄSAR.

Ich schrieb an Euch:
Ihr aber, schwelgend in Ägypten, stecktet
Beiseit mein Schreiben, und mit Hohn und Lachen
Ward ungehört mein Bote fortgewiesen.

ANTONIUS.

Er fiel mich an, noch kaum gemeldet: eben
Hatt' ich drei Könige bewirtet, und mir fehlte,
Was ich am Morgen war: doch nächsten Tags
Sagt' ich dies selbst ihm, was nicht minder war,
Als um Verzeihung bitten. – Nicht der Bursch
Sei nur genannt im Zwist, und wenn wir streiten,
Sei er ganz ausgestrichen!

CÄSAR.

Eures Eids
Hauptpunkt habt Ihr gebrochen: des kann nimmer
Mich Eure Zunge zeihn.

LEPIDUS.

Halt, Cäsar!

ANTONIUS.

Nein,
Lepidus, laßt ihn reden! –
Die Ehr' ist rein und heilig, die er angreift,
Im Wahn, ich sei ihr treulos. Weiter, Cäsar,
Der Hauptpunkt meines Eids ...

CÄSAR.

Mir Hülf' und Macht zu leihn, wenn ich's verlangte,
Und beides schlugt Ihr ab.

ANTONIUS.

Versäumt' es nur;
Und zwar, als ein vergiftet Dasein mir
Mein Selbstbewußtsein raubte. So viel möglich,
Zeig' ich den Reuigen: doch mein Gradsinn soll
Nicht meine Größe schmälern; meine Macht
Nicht ohne diesen wirken. Wahr ist's, Fulvia
Bekriegt' Euch, aus Ägypten mich zu scheuchen:
Wofür ich jetzt, unwissentlich die Ursach',
Soweit Verzeihung bitt', als ich mit Würde
Nachgeben kann.

LEPIDUS.

Ihr spracht ein edles Wort.

MÄCENAS.

Gefiel's euch doch, nicht ferner zu gedenken
Des Streites: um ihn gänzlich zu vergessen,
Erinnert euch, wie gegenwärt'ge Not

Euch an Versöhnung mahnt!

LEPIDUS.

Ein würd'ges Wort! –

ENOBARBUS. Oder wenn ihr euch einer des andern Freundschaft für den Augenblick borgt, könnt ihr sie, wenn vom Pompejus nicht mehr die Rede ist, wieder zurückgeben: ihr mögt Zeit zu zanken finden, wenn ihr sonst nichts anders zu tun habt.

ANTONIUS. Du bist nur ganz Soldat, drum sprich nicht mehr!

ENOBARBUS. Ich hätte bald vergessen, daß Wahrheit schweigen muß.

ANTONIUS.

Du kränkst den würd'gen Kreis, drum sprich nicht mehr!

ENOBARBUS.

Schon recht: so bin ich Eu'r vorsicht'ger Stein. –

CÄSAR.

Ich tadle nicht den Inhalt seiner Rede,
Nur ihre Weise: denn unmöglich scheint's,
Daß Freundschaft bleibe, wenn die Sinnesart
Im Tun so abweicht. Doch, wüßt' ich den Reif,
Der uns verfestigte, von Pol zu Pol
Sucht' ich ihn auf.

AGRIPPA.

Wollt Ihr vergönnen, Cäsar ...

CÄSAR.

Agrippa, sprich!

AGRIPPA.

Du hast 'ne Schwester von der Mutter Seite,
Die herrliche Octavia. Der große Marc Anton
Ward Witwer, –

CÄSAR.

Sprich kein solches Wort, Agrippa:
Hätt' es Cleopatra gehört, mit Recht

Nennte sie jetzt dich übereilt.

ANTONIUS.

Ich bin vermählt nicht, Cäsar: laß mich wissen
Agrippas fernre Meinung!

AGRIPPA.

Euch in beständ'ger Freundschaft zu erhalten,
Euch brüderlich zu einen, eure Herzen
Unlösbar fest zu knüpfen, nehm' Anton
Octavia zur Gemahlin, deren Schönheit
Wohl fordern kann den besten Mann der Welt,
Und deren Güt' und Anmut sie erhebt,
Mehr als es Worte könnten. Durch dies Bündnis
Wird kleine Eifersucht, die groß nun scheint,
Und große Frucht, die jetzt Gefahren droht,
In Nichts verschwinden: Wahrheit wird dann Märchen,
Wie halbe Mär jetzt Wahrheit: – beide liebend,
Verstärkt sie eure Wechsellieb' und zieht
Der Völker Liebe nach. – Verzeiht die Rede,
Denn sie ward längst geprüft, nicht schnell ersonnen,
Pflichtmäßig reif bedacht.

ANTONIUS.

Will Cäsar reden?

CÄSAR.

Nicht bis er hört, was Marc Anton erwidert
Dem schon Gesagten.

ANTONIUS.

Was vermag Agrippa,
Wenn ich nun spräch': »Agrippa, also sei's!« –
Dies gut zu machen? –

CÄSAR.

Cäsars ganze Macht,
Und was sein Wort der Schwester gilt.

ANTONIUS.

Nie mög' ich
Dem edlen Antrag, der so herrlich glänzt,
Verhind'rung träumen. Reich' mir deine Hand,
Fördre den frommen Bund; und nun, von Stund' an,
Regier' in unsrer Liebe Brudereintracht,
Das hohe Ziel erstrebend!

CÄSAR.

Nimm die Hand.
Dir schenk' ich eine Schwester, wie kein Bruder
So zärtlich eine je geliebt: sie lebe,
Zu binden unsre Reich' und Herzen. Flieh'
Nie wieder unsre Liebe! –

LEPIDUS.

Glück und Amen! –

ANTONIUS.

Ich dachte nicht, Pompejus zu bekämpfen,
Denn großen Freundschaftsdienst erwies er mir
Vor kurzem erst: Dank darf er von mir fordern,
Daß mich der Ruf nicht unerkenntlich nenne: –
Das abgetan, entbiet' ich ihn zum Kampf.

LEPIDUS.

Es drängt die Zeit:
Pompejus müssen wir alsbald nun suchen,
Sonst sucht er uns.

ANTONIUS.

Wo ankert seine Flotte?

CÄSAR.

Am Vorgebirg' Misenum.

ANTONIUS.

Seine Landmacht,
Wie stark?

CÄSAR.
Groß und im Wachsen; doch zur See
Gebeut er unumschränkt.
ANTONIUS.
So sagt der Ruf. –
Hätt' ich ihn doch gesprochen! Hin in Eil'! –
Doch eh' wir uns bewaffnen, bringt zu Ende,
Was eben ward gelobt!
CÄSAR.
Mit höchster Freude:
So lad' ich Euch zum Anblick meiner Schwester,
Und führ' Euch gleich zu ihr.
ANTONIUS.
Gönnt, Lepidus,
Uns Eure Gegenwart!
LEPIDUS.
Edler Antonius,
Selbst Krankheit hielt' mich nicht zurück.

Trompetenstoß. Cäsar, Antonius und Lepidus ab.

MÄCENAS.
Willkommen von Ägypten, Herr!
ENOBARBUS.
Hälfte von Cäsars Herzen, würdiger Mäcenas!
Mein ehrenwerter Freund Agrippa! –
AGRIPPA.
Wackrer Enobarbus!
MÄCENAS. Wir haben Ursach', froh zu sein, daß alles sich so gut entwirrt hat. Ihr habt's euch indessen in Ägypten wohl sein lassen?
ENOBARBUS. Ja, Herr, wir schliefen, daß sich der helle Tag schhämte, und machten die Nacht mit Trinken hell.

MÄCENAS. Acht wilde Schweine ganz gebraten zum Frühstück, und nur für zwölf Personen, ist das wahr?

ENOBARBUS. Das war nur wie eine Fliege gegen einen Adler; wir hatten viel andre ungeheure Dinge bei unsern Festen, die wohl wert waren, daß man darauf achtete.

MÄCENAS. Sie ist eine ganz unwiderstehliche Frau, wenn sie ihrem Ruf entspricht.

ENOBARBUS. Als sie den Marc Anton das erste Mal sah, stahl sie ihm sein Herz; es war auf dem Flusse Cydnus.

AGRIPPA. Dort zeigte sie sich ihm in der Tat, oder mein Berichterstatter hat viel für sie erfunden.

ENOBARBUS.

Ich will's berichten. –
Die Bark', in der sie saß, ein Feuerthron,
Brannt' auf dem Strom: getriebnes Gold der Spiegel,
Die Purpursegel duftend, daß der Wind
Entzückt nachzog; die Ruder waren Silber,
Die nach der Flöten Ton Takt hielten, daß
Das Wasser, wie sie's trafen, schneller strömte,
Verliebt in ihren Schlag; doch sie nun selbst –
Zum Bettler wird Bezeichnung: sie lag da,
In ihrem Zelt, das ganz aus Gold gewirkt,
Noch farbenstrahlender als jene Venus,
Wo die Natur der Malerei erliegt.
Zu beiden Seiten ihr holdsel'ge Knaben,
Mit Wangengrübchen, wie Cupido lächelnd,
Mit bunten Fächern, deren Wenn durchglühte
(So schien's) die zarten Wangen, die sie kühlten;
Anzündend statt zu löschen.

AGRIPPA.

Ihm, welch Schauspiel! –

ENOBARBUS.

Die Dienerinnen, wie die Nereiden,
Spannten, Sirenen gleich, nach ihr die Blicke,
Und Schmuck ward jede Beugung; eine Meerfrau
Lenkte das Steuer; seidnes Tauwerk schwoll
Dem Druck so blumenreicher Händ' entgegen,
Die frisch den Dienst versahn. Der Bark' entströmend
Betäubt' ein würz'ger Wohlgeruch die Sinne
Der nahen Uferdämme; sie zu sehn
Ergießt die Stadt ihr Volk; und Marc Anton,
Hochthronend auf dem Marktplatz, saß allein,
Und pfiff der Luft, die, wär' ein Leeres möglich,
Sich auch verlor, Cleopatra zu schaun,
Und einen Riß in der Natur zurückließ.

AGRIPPA.

O wundervolles Weib! –

ENOBARBUS.

Als sie gelandet, bat Antonius sie
Zur Abendmahlzeit; sie erwiderte,
Ihr sei willkommner, ihn als Gast zu sehn,
Und lud ihn. Unser höflicher Anton,
Der keiner Frau noch jemals nein gesagt,
Zehnmal recht schmuck barbiert, geht zu dem Fest,
Und dort muß nun sein Herz die Zeche zahlen,
Wo nur sein Auge zehrte.

AGRIPPA.

Zauberin! –
Sie ließ des großen Cäsars Schwert zu Bett gehn:
Er pflügte sie, sie erntete.

ENOBARBUS.

Ich sah sie
Einst wen'ge Schritte durch die Straße hüpfen,

Und als sie atemlos, sprach sie in Pausen:
So daß zur Anmut sie den Fehl erhob
Und ohne Atem Kraft entatmete.

MÄCENAS.

Nun muß Antonius sie durchaus verlassen!

ENOBARBUS.

Niemals! Das wird er nicht! Nicht kann sie Alter
Hinwelken, täglich Sehn an ihr nicht stumpfen
Die immerneue Reizung; andre Weiber
Sätt'gen die Lust gewährend: sie macht hungrig,
Je reichlicher sie schenkt; denn das Gemeinste
Wird so geadelt, daß die heil'gen Priester
Sie segnen, wenn sie buhlt.

MÄCENAS.

Wenn Schönheit, Sitt' und Weisheit fesseln könne
Das Herz Antons, dann ist Octavia ihm
Ein segensreiches Los.

AGRIPPA.

Kommt, laßt uns gehn!
Ihr, werter Enobarbus, seid mein Gast,
Solang' Ihr hier verweilt.

ENOBARBUS.

Ich dank' Euch bestens.

Alle ab.

Dritte Szene

Daselbst. In Cäsars Hause. Es treten auf Cäsar, Antonius, Octavia zwischen ihnen; Gefolge; ein Wahrsager.

ANTONIUS.

Die Welt, mein großes Amt, wird jezuweilen
Von deiner Brust mich trennen.

OCTAVIA.
All die Zeit
Beugt vor den Göttern betend sich mein Knie
Zu deinem Heil.
ANTONIUS.
Gut Nacht, Herr! O Octavia,
Lies meinen Tadel nicht im Ruf der Welt:
Ich hielt nicht stets das Maß, doch für die Zukunft
Fügt alles sich der Form. Gut Nacht, Geliebte! –
OCTAVIA.
Gut Nacht, Herr!
CÄSAR.
Gute Nacht!

Cäsar und Octavia ab.

ANTONIUS.
Nun, Freund? Du sehnst dich heim wohl nach Ägypten?
WAHRSAGER.
Ging' ich doch nie von dort, noch jemals Ihr
Dahin!
ANTONIUS.
Den Grund, wenn's einen gibt?
WAHRSAGER.
Ich seh' ihn
Im Geist; doch nicht mit Worten fass' ich's. Dennoch
Eilt nur nach Afrika!
ANTONIUS.
Weissage mir,
Wes Glück steigt höher? Cäsars oder meins?
WAHRSAGER.
Cäsars;
Drum, o Antonius, weile nicht bei ihm!

Dein Geist, der dich beschützt, dein Dämon, ist
Hochherzig, mutig, edel, unerreichbar,
Dem Cäsar fern; doch nah ihm wird dein Engel
Zur Furcht, wie eingeschüchtert. Darum bleibe
Raum zwischen dir und ihm!

ANTONIUS.
Sag das nicht mehr!

WAHRSAGER.
Niemand als dir: dir nicht zum zweiten Mal!
Versuche du mit ihm, welch Spiel du willst,
Gewiß verlierst du; sein natürlich Glück
Schlägt dich, wie schlecht er steht; dein Glanz wird trübe,
Strahlt er daneben: noch einmal, dein Geist,
Kommt er ihm nah, verliert den Mut zu herrschen, –
Doch ihm entfernt, erhebt er sich.

ANTONIUS.
Hinweg!
Sag dem Ventidius, sprechen woll' ich ihn:

Wahrsager ab.

Er soll nach Parthien. – Ob Geschick, ob Zufall,
Er sagte wahr. Der Würfel selbst gehorcht ihm!
In unsern Spielen weicht vor seinem Glück
Mein beßrer Plan: ziehn wir ein Los, gewinnt er;
Sein Hahn siegt' über meinen stets im Kampf,
Wenn Alles gegen Nichts stand; seine Wachtel
Schlug meine, ob auch schwächer. Nach Ägypten!
Und schloß ich diese Heirat mir zum Frieden,

Ventidius kommt.

Im Ost wohnt meine Lust. O komm, Ventidius,
Du mußt nach Parthien; fertig ist dein Auftrag,
Komm mit und hol' ihn!

Gehn ab.

Vierte Szene

Daselbst. Eine Straße. Es treten auf Lepidus, Mäcenas und Agrippa.

LEPIDUS.
Bemüht euch ferner nicht; ich bitt' euch, eilt,
Folgt eurem Feldherrn nach!

AGRIPPA.
Herr, Marc Anton
Umarmt nur noch Octavien; gleich dann gehn wir.

LEPIDUS.
Bis ich euch wiederseh' in Kriegertracht,
Die beide zieren wird, lebt wohl!

MÄCENAS.
Wir sind,
Kenn' ich die Gegend recht, am Vorgebirg'
Noch eh'r als Ihr.

LEPIDUS.
Weil eure Straße kürzer –
Mein Vorsatz führt mich einen weiten Umweg,
Ihr kommt zwei Tage früher.

MÄCENAS.
Viel Erfolg!

LEPIDUS.
Lebt wohl!

Alle ab.

Fünfte Szene

Alexandrien. Zimmer im Palast. Cleopatra, Charmion, Iras und Alexas treten auf.

CLEOPATRA.
Gebt mir Musik; Musik, schwermüt'ge Nahrung
Für uns verliebtes Volk! –
DIENER.
He! Die Musik!

Mardian kommt.

CLEOPATRA.
Laßt es nur sein! Wir woll'n zum Kugelspiel:
Komm, Charmion!
CHARMION.
Mich schmerzt der Arm; spielt doch mit Mardian!
CLEOPATRA.
Ein Weib spielt mit dem Hämling wohl so gut
Als mit 'nem Weibe. Wollt Ihr mit mir spielen?
MARDIAN.
Fürstin, so gut ich kann.
CLEOPATRA.
Wo guter Will' ist, käm' er auch zu kurz,
Muß man dem Spieler nachsehn. Doch was anders:
Gebt mir die Angel, kommt zum Flusse; dort,
Während Musik von fern erklingt, berück' ich
Den goldbefloßten Fisch, mit krummen Haken
Die schleim'gen Kiefern fassend, und bei jedem,
Den ich aufzog, denk' ich, es sei Anton,
Und sag: »Aha! dich fing ich!« –
CHARMION.
Lustig war;

Mit ihm das Wette-Angeln, als Eu'r Taucher
Den Salzfisch hängt' an seine Schnur, den er
So eifrig aufzog.

CLEOPATRA.
Jene Zeit! O Zeiten!
Ich lacht' ihn aus der Ruh'; dieselbe Nacht
Lacht' ich ihn in die Ruh'; den nächsten Morgen
Noch vor neun Uhr trank ich ihn auf sein Lager,
Tat meinen Mantel ihm und Schleier um,
Und ich derweil trug sein Philippisch Schwert. –
O von Italien! –

Ein Bote kommt.

Stopf' mir fruchtbare Zeitung in mein Ohr,
Das lange brach gelegen!

BOTE.
Fürstin! Fürstin! –

CLEOPATRA.
Antonius tot? –
Sagst du das, Sklav', so mord'st du deine Herrin: –
Doch meld'st du ihn
Gesund und frei, nimm Gold, und hier zum Kuß
Die blausten Adern: eine Hand, die zitternd
Der Kön'ge Lippen küßten.

BOTE.
Er ist wohl.

CLEOPATRA.
Hier noch mehr Gold! – Doch, Mensch, wir sagen oft,
Wohl sei den Toten: wenn du's so gemeint,
Schmelz' ich das Gold, das ich dir gab, und gieß' es
In deinen Gott verhaßten Schlund.

BOTE.

Oh, hört mich!

CLEOPATRA.

Nun wohl, ich will's –
Doch sagt dein Blick nichts Gutes. Wenn Anton
Frei und gesund, – wozu die finstre Miene
Zu solcher frohen Post? Ist ihm nicht wohl,
Sollt'st du als Furie kommen, schlangumkränzt,
Und nicht in Mannsgestalt.

BOTE.

Wollt Ihr mich hören?

CLEOPATRA.

Ich möchte gleich dich schlagen, eh' du sprichst:
Doch wenn du meld'st, Anton sei wohl, er lebe,
Sei Cäsars Freund, und nicht von ihm gefangen,
Dann ström' ein goldner Regen dir, ein Hagel
Von reichen Perlen!

BOTE.

Er ist wohl.

CLEOPATRA.

Recht gut.

BOTE.

Und Cäsars Freund.

CLEOPATRA.

Du bist ein wackrer Mann!

BOTE.

Cäsar und er sind größre Freund' als je.

CLEOPATRA.

Begehr' ein Glück von mir!

BOTE.

Fürstin, und doch ...

CLEOPATRA.

Ich hasse dies »und doch«: es macht zu Nichts
Den guten Vordersatz: Pfui dem »und doch«:
»Und doch« ist wie ein Scherg' und führt heran
Fluchwürd'ge Missetäter. Bitt' dich, Freund,
Gieß mir die ganze Botschaft in mein Ohr,
Das Schlimm' und Gute. – Er ist Freund mit Cäsar,
Gesund und frisch, sagst du, und sagst, in Freiheit?

BOTE.

In Freiheit, Fürstin? Nein, so sagt' ich nicht:
Octavia bindet ihn.

CLEOPATRA.

In welchem Sinn?

BOTE.

Als Eh'gemahl.

CLEOPATRA.

Ich zittre, Charmion.

BOTE.

Fürstin, er ist Octavien vermählt!

CLEOPATRA.

Die giftigste von allen Seuchen dir!

Schlägt ihn.

BOTE.

Geduld, o Königin!

CLEOPATRA.

Was sagst du? Fort,
Elender Wicht! Sonst stoß' ich deine Augen
Wie Bälle vor mir her; raufe dein Haar,
Lasse mit Draht dich geißeln, brühn mit Salz,
In Lauge scharf gesättigt.

BOTE.

Gnäd'ge Fürstin,
Ich meldete die Heirat, schloß sie nicht!

CLEOPATRA.

Sag, 's ist nicht so: ich schenke dir ein Land,
Daß du im Glücke schwelgest; jener Schlag
Sei Buße, daß du mich in Wut gebracht,
Und ich gewähre jede Gunst dir noch,
Die Demut wünschen mag.

BOTE.

Er ist vermählt.

CLEOPATRA.

Schurke, du hast zu lang gelebt ...

Zieht einen Dolch.

BOTE.

Dann lauf ich –
Was wollt Ihr, Fürstin, 's ist nicht mein Vergehn!

Ab.

CHARMION.

O Fürstin, faßt Euch! Seid nicht außer Euch! –
Der Mann ist schuldlos!

CLEOPATRA.

Wie manch Unschuld'gen trifft der Donnerkeil!
Der Nil ersäuf' Ägypten! Werdet Schlangen,
Ihr sanftesten Geschöpfe! – Ruf' den Sklaven:
Bin ich auch toll, ich beiß' ihn nicht. – Ruft ihn!

CHARMION.

Er fürchtet sich vor dir.

CLEOPATRA.

Ich tu' ihm nichts.

Ihr Hände seid entadelt, weil ihr schlugt
Den Mindern als ich selbst: denn nur ich selbst
War Ursach' meines Zorns. – Hieher denn, komm!

Bote kommt zurück.

Obwohl es redlich ist, war's nimmer gut,
Die schlimme Nachricht bringen: Freudenbotschaft
Verkünd' ein Heer von Zungen, doch die schlimme
Mag selbst sich melden, wenn man sie empfindet.

BOTE.
Ich tat nach meiner Pflicht.

CLEOPATRA.
Ist er vermählt?
Ich kann nicht mehr dich hassen, als ich tat,
Sagst du noch einmal ja.

BOTE.
Er ist vermählt.

CLEOPATRA.
Fluch über dich! So bleibst du stets dabei? –

BOTE.
Sollt' ich denn lügen?

CLEOPATRA.
O daß du es tät'st!
Und wär' mein halb Ägypten überschwemmt,
Ein Pfuhl für schupp'ge Nattern! Geh, entfleuch:
Hätt'st du ein Antlitz wie Narziß, für mich
Schienst du ein Ungeheuer! – Er vermählt? –

BOTE.
Ich bitt' Euch um Vergebung ...

CLEOPATRA.
Er vermählt?

BOTE.

Zürnt nicht, daß ich Euch nicht erzürnen will;
Mich dafür strafen, was Ihr selbst verlangt,
Scheint höchst unrecht. – Er ist Octaviens Gatte.

CLEOPATRA.

O daß dein Frevel dich zum Schurken macht,
Der du nicht bist! Wie! weißt du's sicher? Fort!
Die Ware, die du mir von Rom gebracht,
Ist mir zu teuer; bleibe sie dir liegen,
Und möge dich verderben!

Bote ab.

CHARMION.

Faßt Euch, Hoheit!

CLEOPATRA.

Antonius zu erheben, schalt ich Cäsarn ...

CHARMION.

Oft, gnäd'ge Fürstin.

CLEOPATRA.

Dafür lohnt er nun! –
Führt mich von hier!
Mir schwindelt. Iras, Charmion! – Es geht vorüber!
Geh zu dem Boten, mein Alexas, heiß' ihn
Octavias Züge schildern, ihre Jahre,
Ihr ganz Gemüt: er soll dir nicht vergessen
Die Farbe ihres Haars: gib schnell mir Nachricht!

Alexas ab.

Er geh' auf immer! – Nein doch! Liebe Charmion,
Wenn er auch Gorgo ähnlich sieht von hier,
Von dort gleicht er dem Mars; sag dem Alexas,

Er melde mir, wie groß sie ist. Hab' Mitleid,
Doch sag nichts, Charmion! – Führt mich in mein Zimmer!

Alle ab.

Sechste Szene

In der Nähe von Misenum. Es treten auf von der einen Seite Pompejus und Menas, mit Trommeln und Trompeten; von der andern Cäsar, Antonius, Lepidus, Enobarbus und Mäcenas mit Truppen.

POMPEJUS.
Ihr habt nun meine Geiseln, ich die Euern:
So laßt uns reden vor der Schlacht!
CÄSAR.
Sehr löblich,
Daß erst verhandelt werde; darum sandt' ich
Voraus, was wir dir schriftlich zugestanden.
Hast du dies wohl erwogen, zeig' uns an,
Ob's in der Scheide hält dein zürnend Schwert
Und führt zurück Siziliens mut'ge Jugend,
Die sonst hier fallen muß.
POMPEJUS.
Hört mich, ihr drei
Allein'ge Rechtsverweser dieser Welt,
Höchste Statthalter Jupiters: Ich weiß nicht,
Weshalb mein Vater Rache sollt' entbehren,
Dem Sohn und Freunde blieben, da doch Cäsar,
Der sich dem edlen Brutus offenbart,
Euch bei Philippi für ihn kämpfen sah.
Was trieb den bleichen Cassius zur Verschwörung?
Was tränkte der altröm'sche biedre Brutus,
Und wer noch sonst für holde Freiheit focht,

Mit Blut das Kapitol? Nur daß ein Mann
Nicht mehr sei als ein andrer Mann! Und deshalb
Rüstet' auch ich die Seemacht, deren Last
Das Meer zornschäumend trägt, mit ihr zu geißeln
Den Undank, den dies schnöde Rom erwies
Meinem erhabnen Vater.

CÄSAR.
Nimm wahr der Zeit!

ANTONIUS.
Du schreckst mit deiner Flott' uns nicht, Pompejus:
Wir sprechen uns zur See; zu Lande weißt du,
Wie viel wir reicher sind.

POMPEJUS.
O ja, zu Lande
Bist reicher du durch meines Vaters Haus;
Doch weil der Kuckuck für sich selbst nicht baut,
Bleib' drin, solang' du kannst!

LEPIDUS.
Gefällt's Euch, sagt
(Denn dies führt uns vom Ziel), wie Euch bedünkt
Der Vorschlag, den wir taten.

CÄSAR.
Dies der Punkt. –

ANTONIUS.
Nicht sei dazu gebeten, sondern wäge,
Was du dadurch gewinnst.

CÄSAR.
Und was geschehn kann,
Noch größres Glück zu finden.

POMPEJUS.
Ihr botet mir
Sizilien und Sardinien, und ich soll

Das Meer befrein von Räubern; soll nach Rom
Vorrat von Weizen senden: tu' ich das,
Ziehn wir mit unzerhacktem Schwert nach Haus
Und glattem Schild.

CÄSAR, ANTONIUS, LEPIDUS.
Das boten wir.

POMPEJUS.
So wißt,
Ich kam vor euch hieher mit dem Entschluß
Dies anzunehmen; nur daß Marc Anton
Ein wenig mich verstimmt. – Büß' ich schon ein
An Ruhm, erzähl' ich's selber: – dennoch, wißt!
Als Cäsar Krieg mit Euren Brüdern führte,
Fand Eure Mutter in Sizilien damals
Den gastlichsten Empfang.

ANTONIUS.
Ich weiß, Pompejus,
Und sann zeither auf edle Dankbarkeit,
Die ich Euch schuldig.

POMPEJUS.
Gebt mir Eure Hand:
Ich hätte nicht gedacht, Euch hier zu treffen.

ANTONIUS.
Es ruht sich sanft im Osten, und ich dank' Euch,
Daß Ihr mich herrieft, eh's mein Vorsatz war;
Denn ich gewann dabei.

CÄSAR.
Seit ich Euch sah,
Habt Ihr Euch sehr verändert.

POMPEJUS.
Nun, ich weiß nicht,
Wie herbes Schicksal mein Gesicht gefurcht; –

Doch nimmer soll mir's dringen in die Brust,
Mein Herz zu überwält'gen.

LEPIDUS.
Seid willkommen!

POMPEJUS.
Das hoff' ich, Lepidus. So sind wir eins. –
Ich wünschte nun geschrieben den Vertrag
Und unterzeichnet.

CÄSAR.
Das geschehe gleich!

POMPEJUS.
Wir wollen uns bewirten, eh' wir scheiden.
Und losen, wer beginnt. –

ANTONIUS.
Laßt mich beginnen!

POMPEJUS.
Nein, losen wir, Antonius: ob der erste,
Ob letzte; Eurer Kochkunst aus Ägypten
Gebührt der Preis. Ich hörte, Julius Cäsar
Ward dort vom Schmausen fett.

ANTONIUS.
Ihr hörtet vieles!

POMPEJUS.
Ich mein' es gut.

ANTONIUS.
Und setzt die Worte gut.

POMPEJUS.
Nun wohl, ich hört' es;
Und hört' auch das: Apollodorus trug ...

ENOBARBUS.
O still davon! Er trug ...

POMPEJUS.
Was? –
ENOBARBUS.
Eine gewisse
Monarchin hin zum Cäsar in ’ner Decke.
POMPEJUS.
Nun kenn’ ich dich; wie geht dir’s, Kriegsmann?
ENOBARBUS.
Gut;
Und, wie mir’s scheint, auch ferner gut: ich sehe,
Vier Schmäuse sind im Werk.
POMPEJUS.
Reich’ mir die Hand;
Ich hab’ dich nie gehaßt; ich sah dich fechten
Und neidete dir deinen Mut.
ENOBARBUS.
Mein Feldherr,
Ich liebt’ Euch nie sehr stark, doch lobt’ ich Euch,
Da Ihr wohl zehnmal so viel Lob verdient,
Als ich Euch zugestand.
POMPEJUS.
Dein offnes Wesen
Erhalte dir, es steht dir wohl. –
Ich lad’ euch all’ an Bord meiner Galeere;
Wollt ihr vorangehn?
ALLE.
Führt uns, Feldherr! –
POMPEJUS.
Kommt!

Pompejus, Cäsar, Antonius, Lepidus, Soldaten und Gefolge ab.

MENAS *beiseit.* Dein Vater, Pompejus, wäre nimmer diesen Vergleich eingegangen. – Ihr und ich haben uns schon gesehn, Herr.

ENOBARBUS. Zur See, denk' ich.

MENAS. Ganz recht, Herr.

ENOBARBUS. Ihr habt Euch gut zur See gehalten.

MENAS. Und Ihr zu Lande.

ENOBARBUS. Ich werde jeden loben, der mich lobt, obgleich nicht zu leugnen ist, was ich zu Lande getan.

MENAS. Noch was ich zu Wasser getan. –

ENOBARBUS. Nun, etwas könnt Ihr schon für Eure Sicherheit leugnen: Ihr seid ein großer Dieb zur See gewesen.

MENAS. Und Ihr zu Lande.

ENOBARBUS. Solchen Landdienst leugne ich ab. Aber gebt mir die Hand, Menas: hätten unsre Augen jetzt Vollmacht, so würden sie hier zwei sich küssende Diebe ertappen.

MENAS. Aller Menschen Gesichter sind ohne Falsch, wie auch ihre Hände beschaffen sind.

ENOBARBUS. Aber noch kein hübsches Weib hatte je ein Gesicht ohne Falsch.

MENAS. Das ist kein Tadel, sie stehlen Herzen.

ENOBARBUS. Wir kamen, mit euch zu fechten.

MENAS. Mir für mein Teil tut's leid, daß daraus ein Trinkgelag' ward. Pompejus lacht heut sein Glück weg!

ENOBARBUS. Wenn das ist, so kann er's gewiß nicht wieder zurück weinen.

MENAS. Sehr gewiß, Herr. Wir dachten nicht, Marcus Antonius hier zu treffen. Sagt doch, ist er mit Cleopatra vermählt? –

ENOBARBUS. Cäsars Schwester heißt Octavia.

MENAS. Jawohl, sie war des Cajus Marcellus Weib.

ENOBARBUS. Und ist nun des Marcus Antonius Weib.

MENAS. Was Ihr sagt!

ENOBARBUS. 's ist wahr!
MENAS. Dann sind Cäsar und er für immer an einander geknüpft!
ENOBARBUS. Wenn es meines Amtes wäre, von dieser Vereinigung zu weissagen, ich prophezeite nicht so.
MENAS. Ich denke, in dieser Angelegenheit tat die Politik mehr für die Heirat, als die Liebe der Vermählten.
ENOBARBUS. Das denk' ich auch. Aber Ihr sollt sehn, das Band, das ihre Freundschaft zu verknüpfen scheint, erwürgt ihre Verbrüd'rung. Octavia ist von kaltem, stillen Temperament.
MENAS. Wer wünschte sein Weib nicht so? –
ENOBARBUS. Der nicht, der selbst nicht so ist; und das ist Marc Anton. Sein ägyptisches Mahl wird ihn zurückziehen: dann werden Octavias Seufzer Cäsars Feuer anfachen, und wie ich vorhin sagte: was die Befestigung ihres Bundes scheint wird die unmittelbare Veranlassung ihrer Entzweiung werden. Antonius wird seine Liebe zeigen, wo sie ist; hier hat er nur seinen Vorteil geheiratet. –
MENAS. So wird's wohl kommen. Sagt, Herr, wollt Ihr an Bord? Ich habe eine Gesundheit für Euch.
ENOBARBUS. Die nehm' ich an, Herr; wir haben unsre Gurgeln in Ägypten eingeübt.
MENAS. Wir wollen gehn.

Beide ab.

Siebente Szene

An Bord von Pompejus' Galeere. Musik. Es treten auf zwei oder drei Diener, die ein Bankett anrichten.

ERSTER DIENER. Gleich werden sie hier sein, Kam'rad; ein paar von diesen edlen Bäumen sind nicht mehr im Boden festgewurzelt, der kleinste Wind kann sie umwerfen.
ZWEITER DIENER. Lepidus ist schon hochrot.

ERSTER DIENER. Der hat trinken müssen, wie keiner mehr mochte. –

ZWEITER DIENER. Wie nur einer dem andern den wunden Fleck berührt, ruft er: »Haltet ein!« und macht, daß jeder sich seinen Friedensworten und er sich dem Becher ergibt.

ERSTER DIENER. Desto größerer Krieg erhebt sich zwischen ihm und seinen fünf Sinnen.

ZWEITER DIENER. Das kommt dabei heraus, in großer Herren Gesellschaft Kam'rad zu sein; ebenso gern hätte ich ein Schilfrohr, das mir nichts mehr nutzen kann, als eine Hellebarde, die ich nicht regieren könnte.

ERSTER DIENER. In eine große Sphäre berufen sein, und sich nicht einmal darin bewegen können, ist wie Löcher, wo Augen sein sollten; was das Gesicht jämmerlich entstellt.

Eine Zinke wird geblasen. Es treten auf Cäsar, Antonius, Pompejus, Lepidus, Agrippa, Mäcenas, Enobarbus, Menas und andre Hauptleute.

ANTONIUS *zum Cäsar.*

So ist der Brauch: sie messen dort den Strom
Nach Pyramidenstufen; daran sehn sie,
Nach Höhe, Tief' und Mittelstand, ob Teurung,
Ob Fülle folgt. Je höher schwoll der Nil,
Je mehr verspricht er; fällt er dann, so streut
Der Sämann auf den Schlamm und Moor sein Korn,
Und erntet bald nachher.

LEPIDUS.

Ihr habt seltsame Schlangen dort! –

ANTONIUS.

Ja, Lepidus. –

LEPIDUS. Eure ägyptische Schlange wird also durch die Kraft eurer Sonne aus eurem Schlamm ausgebrütet; so auch euer Krokodil? –

ANTONIUS. So ist's.

POMPEJUS.

Setzt Euch! – Mehr Wein! Auf Lepidus' Gesundheit!

LEPIDUS. Mir ist nicht so wohl, als ich sein sollte, aber ich bin dabei.

ENOBARBUS. So lange bis Ihr einschlaft; bis dahin bleibt Ihr gewiß nebenbei.

LEPIDUS. Ja, das muß wahr sein, diese ptolomäischen Pyramichien, sagt man, sind allerliebste Dinger; in allem Ernst, das sagt man.

MENAS *beiseit.*

Ein Wort, Pompejus!

POMPEJUS.

Sag ins Ohr: was ist's?

MENAS *beiseit.*

Steh auf von deinem Sitz, ich bitt' dich, Feldherr,
Und hör' mich auf ein Wort!

POMPEJUS.

Wart' noch ein Weilchen!
Den Wein für Lepidus!

LEPIDUS. Was für 'ne Sorte von Geschöpf ist euer Krokodil?

ANTONIUS. Es hat eine Gestalt, Herr, wie es selbst, und ist so breit, als seine Breite beträgt; just so hoch, als es hoch ist, und bewegt sich mit seinen eignen Gliedern; es lebt von seiner Nahrung, und haben seine Elemente sich aufgelöst, so wird ein neues Wesen aus ihm.

LEPIDUS. Was hat es für eine Farbe?

ANTONIUS. Auch seine eigentümliche Farbe.

LEPIDUS. Ein kurioser Wurm! –

ANTONIUS. Allerdings. Und seine Tränen sind naß.
CÄSAR. Wird ihm diese Beschreibung genügen? –
ANTONIUS. Nach allen Gesundheiten, die Pompejus ihm bringt; sonst ist er ein wahrer Epikur.
POMPEJUS *beiseit zu Menas.*
Geh mir und laß dich hängen! mit mir reden?
Geh, tu', wie ich dir hieß! – Wo bleibt mein Becher? –
MENAS.
Hab' ich dir Treu' bewiesen, hör' mich an,
Und komm beiseit!
POMPEJUS.
Du bist nicht klug. Was willst du!
MENAS.
Ich zog die Mütze stets vor deinem Glück ...
POMPEJUS.
Du hast mir immer brav gedient: was weiter?
– Munter, ihr edlen Herrn!
ANTONIUS.
Nehmt Euch in acht
Vor dieser Sandbank, Lepidus; Ihr sinkt! –
MENAS. Willst du Herr sein der ganzen Welt?
POMPEJUS.
Was sagst du?
MENAS.
Willst Herr der ganzen Welt sein? Zweimal sagt' ich's.
POMPEJUS.
Wie sollte das geschehn?
MENAS.
Sei willig nur;
Und schein' ich noch so arm, ich bin der Mann,
Der dir die ganze Welt gibt.

POMPEJUS.

Bist du trunken?

MENAS.

Mein Feldherr, vor dem Becher wahrt' ich mich;
Du bist, wenn du's nur wagst, der Erde Zeus,
Und was das Meer umgrenzt, umwölbt der Himmel,
Ist dein, wenn du's nur willst.

POMPEJUS.

So sag mir, wie? –

MENAS.

Diese drei Weltenteiler, die Triumvirn,
Faßt unser Schiff: ich kappe jetzt das Tau,
Wir stoßen ab, ich greif' an ihre Kehle,
Und dein ist alles.

POMPEJUS.

Ah! hätt'st du's getan,
Und nicht gesagt! In mir ist's Büberei,
Von dir getreuer Dienst. Vergiß es nie,
Mein Vorteil nicht geht meiner Ehre vor,
Die Ehre ihm! Bereu' es, daß dein Mund
So deine Tat verriet: Tatst du's geheim,
Dann hätt' ich's, wenn's geschehn, als gut erkannt,
Doch nun muß ich's verdammen. – Vergiß, und trink!

MENAS.

Hinfort
Folg' ich nie wieder deinem morschen Glück!
Wer sucht und greift nicht, was ihm einmal zuläuft,
Findet's nie wieder.

POMPEJUS.

Lepidus soll leben!

ANTONIUS.

Tragt ihn ans Land; ich tu' für ihn Bescheid.

ENOBARBUS.

Menas, dein Wohl!

MENAS.

Willkommen, Enobarbus! –

POMPEJUS.

Füllt bis zum Rand den Becher! –

ENOBARBUS.

Der Kerl hat Kräfte, Menas!

MENAS.

Wie?

ENOBARBUS.

Da trägt er
Den dritten Teil der Welt: Mann, siehst du's nicht?

MENAS.

Dies Dritteil also trunken! Wär's die ganze,
So käm' es bald zu Rande!

ENOBARBUS.

Trink', mach' uns keine Schande! –

MENAS.

So komm!

POMPEJUS.

Dies ist noch kein ägyptisch Fest!

ANTONIUS.

Es kommt ihm doch schon nah. Stoßt an die Becher!
Der hier für Cäsar!

CÄSAR.

Ich verbät' es lieber;
s' ist schwere Arbeit, mein Gehirn zu waschen;
Und es wird schmutz'ger.

ANTONIUS.

Sei ein Kind der Zeit!

CÄSAR.

Trink' aus, ich tu' Bescheid: doch lieber fast' ich
Vier Tage lang, als einen so viel trinken.

ENOBARBUS.

O wackrer Imperator!
Soll'n wir ägypt'schen Bacchustanz beginnen
Und feiern diesen Trunk? –

POMPEJUS.

Recht so, mein Krieger! –

ANTONIUS.

Kommt, schließen wir den Reih'n,
Bis der sieghafte Wein den Sinn uns taucht
Im süßen, weichen Lethe.

ENOBARBUS.

Nun umfaßt euch:
Bestürmt das Ohr mit lärmender Musik,
Bis ich euch stelle: dann singt der Knab' ein Lied,
Und jeder fällt mit ein im Chor, so laut,
Als seine starke Brust nur schmettern kann. –

Musik. Enobarbus stellt sie, und sie schließen den Reihen.

Lied

Komm, du König, weinbekränzt,
Bacchus, dessen Auge glänzt:
Du verjagst die Leidgedanken!
In den Locken Epheuranken,
Trinkt, bis alle Welten schwanken,
Trinkt, bis alle Welten schwanken! –

CÄSAR.

Was wollt ihr mehr? Gut' Nacht, Pompejus! Bruder
Gehn wir, ich bitt' Euch: unser ernst Geschäft

Zürnt diesem Leichtsinn. Werte Herrn, brecht auf,
Ihr seht, die Wangen glühn. Selbst Enobarbus
Ist schwächer als der Wein; auch meine Zunge
Spaltet die Worte; wilder Taumel hat uns
Zu Gecken fast vermummt. Was red' ich hier?
Gut' Nacht!
Die Hand, Antonius! Ich bring' Euch ans Land.

ANTONIUS.
Gut, gebt die Hand, Herr!

POMPEJUS.
O Anton, Ihr habt
Des Vaters Haus: was tut's, wir sind ja Freunde! –
Kommt jetzt ins Boot!

ENOBARBUS.
Nehmt euch in acht und fallt nicht!

Pompejus, Cäsar, Antonius und Gefolge ab.

Menas, ich will nicht mit.

MENAS.
Komm zur Kajüte!
He, unsre Trommeln, Flöten, Zymbeln, he!
Hör' es, Neptun, welch lauten Abschied wir
Diesen Gewalt'gen bringen; blast, so blast doch! –

Trompeten und Trommeln.

ENOBARBUS.
Hallo! die Mützen schwenkt!

MENAS.
Brav, wackrer Kriegsmann!
Kommt! –

Gehn ab.

Dritter Aufzug

Erste Szene

Eine Ebene in Syrien. Ventidius tritt auf, wie nach einem Siege; mit ihm Silius und andre römische Hauptleute und Soldaten; vor ihnen wird der Leichnam des Pacorus getragen.

VENTIDIUS.
So, kühnes Parthien, schlug ich dich, und so
Erwählte mich das Glück, des Crassus Tod
Zu rächen. Tragt den toten Königssohn
Dem Heer voran! Orodes, dein Pacorus
Zahlt dies für Crassus.
SILIUS.
Würdiger Ventidius!
Weil noch vom Partherblute raucht dein Schwert,
Folge den flücht'gen Parthern schnell durch Medien,
Mesopotamien und in alle Schluchten,
Wohin die Flucht sie trieb: Dann hebt dein Feldherr
Antonius auf den Siegeswagen dich
Und kränzt dein Haupt mit Lorbeern.
VENTIDIUS.
Silius, Silius! –
Ich tat genug. Ein Untergebner, merk' es,
Glänzt leicht zu hell; denn wisse dies, o Silius: –
Besser nichts tun, als zu viel Ruhm erwerben
Durch tapfre Tat, wenn unsre Obern fern.
Cäsar und Marc Anton gewannen stets
Durch Diener mehr als durch sich selber. Sossius,
Sein Hauptmann (der vor mir in Syrien stand),
Verlor, weil ihn zu schnell der Ruf erhob,

Den er erlangt im Umsehn, seine Gunst.
Wer mehr im Krieg tut, als sein Feldherr kann,
Wird seines Feldherrn Feldherr; und der Ehrgeiz,
Des Kriegers Tugend, wählt Verlust wohl lieber,
Als Sieg, der ihn verdunkelt.
Ich könnte mehr tun zu Antonius' Vorteil,
Doch würd's ihn kränken; und in seiner Kränkung
Verschwände mein Bemühn.

SILIUS.

Du hast, Ventidius,
Was, fehlt es ihm, den Krieger und sein Schwert
Kaum unterscheiden läßt. – Schreibst du dem Marc Anton?

VENTIDIUS.

Ich meld' in Demut, was in seinem Namen,
Dem mag'schen Feldgeschrei, uns dort gelang:
Wie sein Panier, sein wohlbezahltes Heer
Die nie besiegte parth'sche Reiterei
Mit Schmach vom Feld gejagt.

SILIUS.

Wo ist er jetzt?

VENTIDIUS.

Er wollte nach Athen: und dort mit so viel Eil',
Als unsers Zugs Beschwer vergönnen will,
Erscheinen wir vor ihm. Nun vorwärts, Leute! weiter!

Ab.

Zweite Szene

Rom. Ein Vorzimmer in Cäsars Hause. Agrippa und Enobarbus begegnen einander.

AGRIPPA.

Wie! trennten sich die Brüder?

ENOBARBUS.
Sie sind eins mit Pompejus; er ist fort,
Die andern unterzeichnen. Octavia weint,
Von Rom zu gehn; Cäsar ist traurig; Lepidus
(Wie Menas sagt) hat seit Pompejus' Schmaus
Die Bleichsucht.
AGRIPPA.
Ei, du wackrer Lepidus! –
ENOBARBUS. Ausbündigstes Gemüt! Wie liebt er Cäsarn! –
AGRIPPA. Und wie entzückt ihn vollends Marc Anton! –
ENOBARBUS. Cäsar? Das ist der Jupiter der Menschheit!
AGRIPPA. Und Marc Anton? Der Gott des Jupiter! –
ENOBARBUS. Spracht Ihr vom Cäsar? Oh, der nie Erreichte! –
AGRIPPA. Und Marc Anton? Der Phönix aus Arabien!
ENOBARBUS.
Cäsarn zu loben sprecht: »Cäsar!« Nichts mehr! –
AGRIPPA.
Ja, beiden spendet er erhabnes Lob.
ENOBARBUS.
Doch Cäsarn mehr. Zwar liebt er auch Anton:
Nicht Herz, Wort, Griffel, Schreiber, Bard' und Dichter,
Denkt, spricht, malt, schreibt, singt, reimt, was er empfindet
Für Marc Anton: doch nennt Ihr Cäsarn, kniet,
Kniet nieder, kniet und staunt!
AGRIPPA.
Er liebt sie beide.
ENOBARBUS.
Sie sind ihm schwere Flügel, er ihr Käfer. –

Trompetenstoß.

So
Das heißt zu Pferd! Leb wohl, edler Agrippa! –

AGRIPPA.

Viel Glück, mein wackrer Krieger, und lebt wohl! –

Es treten auf Cäsar, Antonius, Lepidus und Octavia.

ANTONIUS.

Nicht weiter, Herr! –

CÄSAR.

Ihr nehmt von mir ein groß Teil von mir selbst;
Ehrt mich in ihm! Schwester, sei solch ein Weib,
Wie dich mein Herz gedacht, mein höchstes Pfand
Dir Bürgschaft leisten möchte. Mein Anton,
Laß nie dies Stärkungsmittel – zwischen uns
Als unsrer Liebe Mörtel eingesetzt,
Sie fest zu gründen, – Mauerbrecher werden,
Sie zu zerschmettern. Besser dann für uns
Wir liebten ohne sie, wenn beide nicht
Dies Mittel heilig achten.

ANTONIUS.

Kränkt mich nicht
Durch Mißtraun!

CÄSAR.

Nun genug.

ANTONIUS.

Nie geb' ich Euch,
So fein Ihr prüfen mögt, den kleinsten Anlaß
Zu solcher Furcht. So schützen dich die Götter,
Und lenken deinem Wunsch die Herzen Roms! –
Wir scheiden hier! –

CÄSAR.

Leb wohl, geliebte Schwester, lebe wohl!
Die Elemente sei'n dir hold, sie stärken
Mit frohem Mut dein Herz! Gehab' dich wohl!

OCTAVIA.

Mein edler Bruder! –

ANTONIUS.

April ist dir im Aug', der Liebe Lenz,
Und Tränen sind der Regen, die ihn künden!
Blick heiter!

OCTAVIA.

Oh, sorge doch für meines Gatten Haus,
Und ...

CÄSAR.

Wie, Octavia?

OCTAVIA.

... heimlich sag' ich's dir.

ANTONIUS.

Ihr Mund gehorcht dem Herzen nicht, noch kann
Das Herz die Zunge meistern: wie des Schwans
Flaumfeder steht auf hochgeschwellter Flut
Und sinkt auf keine Seite.

ENOBARBUS.

Wird Cäsar weinen?

AGRIPPA.

Wolken stehn im Auge! –

ENOBARBUS.

Das wäre schlimm genug, wär' er ein Pferd;
So mehr für einen Mann.

AGRIPPA.

Wie, Enobarbus?
Antonius, als er Cäsarn sah erschlagen,
Da schluchzt' er bis zum Schrei, und weinte auch
Über des Brutus Leiche bei Philippi.

ENOBARBUS.

Nun, in dem Jahre hatt' er wohl den Schnupfen!

Was er mit Lust zerstört, netzt' er mit Tränen?
Das glaubt, wenn ich auch weine!

CÄSAR.
Nein, teure Schwester!
Stets sollst du von mir hören; keine Zeit
Soll dein Gedächtnis tilgen.

ANTONIUS.
Kommt nun, kommt!
Laßt mich mit Euch in Kraft der Liebe ringen,
Seht, so noch halt' ich Euch: so lass' ich los,
Und gebe Euch den Göttern.

CÄSAR.
Geht! Seid glücklich! –

LEPIDUS.
Die ganze Schar der Stern' umleuchte dir
Den heitern Pfad! –

CÄSAR.
Leb wohl! Leb wohl!

Umarmt Octavia.

ANTONIUS.
Leb wohl!

Trompetenstoß. Alle ab.

Dritte Szene

Alexandria. Ein Zimmer im Palast. Es treten auf Cleopatra, Charmion, Iras und Alexas.

CLEOPATRA.
Wo ist der Mensch?

ALEXAS.
Er fürchtet sich, zu kommen.

CLEOPATRA.
Nur zu, nur zu: tritt näher, Freund!

Bote tritt auf.

ALEXAS.
Monarchin,
Herodes von Judäa scheut dein Auge,
Wenn du nicht lächelst.

CLEOPATRA.
Des Herodes Haupt
Verlang' ich: aber wie? wer kann mir's schaffen,
Seit Marc Anton nicht hier ist? – Komm, nur näher!

BOTE.
Huldreiche Majestät ...

CLEOPATRA.
Hast du Octavien
Selber gesehn?

BOTE.
Ja, Herrin.

CLEOPATRA.
Wo?

BOTE.
In Rom.
Ich sah ihr ins Gesicht; sah sie geführt
Von ihrem Bruder und vom Marc Anton.

CLEOPATRA.
Ist sie so groß als ich?

BOTE.
Nein, gnäd'ge Fürstin.

CLEOPATRA.
Und ihre Sprache? Ist tief sie oder hell?

BOTE.
Ich hörte, wie sie sprach: mit tiefer Stimme.
CLEOPATRA.
Dann klingt's nicht gut, dann liebt er sie nicht lang'.
CHARMION.
Sie lieben? Nun, bei Isis, ganz unmöglich!
CLEOPATRA.
Das hoff' ich, Charmion! dumpf von Stimm' und zwerghaft!
Ist Majestät in ihrem Gang? Besinn' dich,
Wenn du je Majestät gesehn!
BOTE.
Sie kriecht;
Ihr Stillstehn und Bewegen sind fast eins;
Sie zeigt sich mehr ein Körper als ein Leben,
Mehr Bildnis als beseelt.
CLEOPATRA.
Ist das gewiß?
BOTE.
Sonst fehlt mir Scharfblick.
CHARMION.
Drei in ganz Ägypten
Bemerken besser nicht.
CLEOPATRA.
Er zeigt Verstand,
Das seh' ich wohl. Von der ist nicht zu fürchten: –
Der Mensch hat gutes Urteil.
CHARMION.
Ausgezeichnet! –
CLEOPATRA.
Wie alt wohl mag sie sein?
BOTE.
Sie war

Schon Witwe, Fürstin.
CLEOPATRA.
Witwe? Charmion, hörst du? –
BOTE.
Auf dreißig schätz' ich sie.
CLEOPATRA.
Schwebt dir ihr Antlitz vor? lang oder rund?
BOTE.
Ganz übertrieben rund.
CLEOPATRA.
Solche Gesichter
Verraten meist auch Einfalt. Was für Haar? –
BOTE. Braun, Fürstin, und so niedrig ihre Stirn,
Wie man's nur sehn mag.
CLEOPATRA.
Nimm, da hast du Gold! –
Du mußt mein Eifern von vorhin vergessen; –
Ich geb' dir Briefe mit zurück; du scheinst mir
Sehr brauchbar in Geschäften. Mach' dich fertig;
Die Briefe sind bereit.

Bote ab.

CHARMION.
Ein hübscher Mann! –
CLEOPATRA.
Das ist er auch; und ich bereue sehr,
Daß ich ihn so gerauft. Nun, so nach ihm
Kann das Geschöpf nicht viel bedeuten.
CHARMION.
Gar nichts.
CLEOPATRA.
Er sah doch Majestät, und muß sie kennen.

CHARMION.

Ob er sie sah! Nun, Isis mög' ihm helfen,
So lang' in Euerm Dienst! –

CLEOPATRA.

Ich muß ihn eins noch fragen, gute Charmion:
Doch tut es nichts. Geh, bring' ihn auf mein Zimmer,
Da will ich schreiben. Noch vielleicht gelingt's!

CHARMION.

Fürstin, verlaßt Euch drauf!

Gehn ab.

Vierte Szene

Athen. Zimmer in Antonius' Hause. Antonius und Octavia treten auf.

ANTONIUS.

Nein, nein, Octavia; 's ist nicht das allein;
Das wär' verzeihlich: das und tausend andres
Von gleicher Art. Doch neuen Krieg begann er
Wider Pompejus; las sein Testament
Dem Volke vor;
Sprach leicht von mir, und mußt' er mein durchaus
Ruhmvoll erwähnen, tat er's doch nur kalt
Und matt, und brauchte höchst verkleinernd Maß.
Den nächsten Anlaß nahm er nicht, und mußt' er,
Geschah's nur nebenher.

OCTAVIA.

O teurer Gatte,
Glaub, doch nicht allem; oder, mußt du glauben,
Nimm's nicht als Kränkung! Unglücksel'ger stand
(Trennt ihr euch jetzt) kein Weib je zwischen zweien,
Für beide betend;

Die guten Götter werden meiner spotten,
Fleh' ich zu ihnen: »Schützet meinen Bruder«,
Und widerruf' es mit gleich lautem Flehn:
»Schützt den Gemahl!« Mag Gatte, Bruder siegen,
Zerstört Gebet das Beten; kein Vermitteln
Liegt zwischen diesem Äußersten.

ANTONIUS.

O Teure,
Schenk' deine beste Liebe dem, der ihr
Den besten Schutz verheißt. Die Ehre missen,
Heißt alles missen. Besser, nicht der Deine,
Als dein so schmuckberaubt. Doch, wie du's batest,
Sei Botin zwischen uns; derweil, Octavia,
Will ich die Rüstung ordnen diesem Krieg,
Der deinem Bruder Schmach bringt. Eiligst fort;
So wird dir, was du wünschest.

OCTAVIA.

Dank, mein Gatte!
Der Weltregierer mache mich, die Schwächste,
Euch zur Versöhnerin! – Krieg zwischen euch,
Das wär', als spaltete die Welt, und Leichen
Füllten die weite Kluft! –

ANTONIUS.

Wenn du es einsiehst, wer den Zwist begann,
Lenk' dorthin deinen Tadel. – Unsre Schuld
Kann nicht so gleich sein, daß sich deine Liebe
Gleichmäßig teilte. Nun betreib' die Reise,
Wähl' dein Gefolge selbst, und wie viel Aufwand
Dir irgend nur beliebt!

Gehn ab.

Fünfte Szene

Ein anderes Zimmer daselbst. Enobarbus und Eros, einander begegnend.

ENOBARBUS. Was gibt es, Freund Eros?
EROS. Herr, man hört seltsame Neuigkeiten.
ENOBARBUS. Was denn?
EROS. Cäsar und Lepidus haben dem Pompejus Krieg erklärt.
ENOBARBUS. Das ist etwas Altes. Wie war der Ausgang?
EROS. Cäsar, nachdem er ihn im Krieg wider Pompejus gebraucht, verweigert ihm jetzt alle Mitgenossenschaft; läßt ihm keinen Teil an dem Ruhm des Feldzugs; und damit nicht zufrieden, beschuldigt er ihn, vormals dem Pompejus Briefe geschrieben zu haben; auf seine eigne Anklage setzt er ihn fest, und so ist's nun mit dem armen dritten Mann vorbei, bis Tod sein Gefängnis öffnet.

ENOBARBUS.
So wollt' ich denn, du wärst der einz'ge Rachen!
Werft ihm die ganze Welt als Futter hin,
So schlingt er alles. Wo ist Marc Anton?

EROS.
Er geht im Garten – so: stößt mit dem Fuß
Die Binsen vor sich her; ruft: »Lepidus! du Tor!«
Und droht der Gurgel des Soldaten, der
Pompejus schlug.

ENOBARBUS.
Die Flott' ist segelfertig.

EROS.
Wider Italien und den Cäsar. – Eins noch:
Anton verlangt Euch jetzt; die Neuigkeit
Konnt' ich Euch später sagen.

ENOBARBUS.
’s wird nichts sein:
Doch woll’n wir sehn. Führ’ mich zu ihm!
EROS.
So komm!

Gehn ab.

Sechste Szene

Rom. Zimmer in Cäsars Hause. Es treten auf Cäsar, Agrippa und Mäcenas.

CÄSAR.
Rom zur Verhöhnung tat er dies und mehr.
In Alexandria (hier schreibt man mir’s)
Thronten auf offnem Markt, vor allem Volk,
Cleopatra und er auf goldnen Stühlen
Und silbernem Gerüst: zu ihren Füßen
Cäsarion, meines Vaters Sohn genannt,
Und all die Bastardbrut, die ihre Lust
Seitdem erzeugt. Zur Herrschaft von Ägypten
Gab er ihr Cypern, Niedersyrien, Lydien,
Als einer unumschränkten Königin.
MÄCENAS.
Dies vor den Augen alles Volks?
CÄSAR.
Auf öffentlicher Bühne, wo sie spielen,
Setzt er zu Kön’gen über Kön’ge seine Söhne:
Großmedien, Parthien und Armenien
Gab er dem Alexander; Ptolemäus
Syrien, Cilicien und Phönizien. Sie
Trug an dem Tag der Göttin Isis Kleid,
In dem sie oft zuvor, wie man erzählt,

Gehör erteilt.
MÄCENAS.
Die Nachricht laßt in Rom
Verbreiten!
AGRIPPA.
Längst durch seinen Übermut
Verstimmt, wird es ihm seine Gunst entziehn.
CÄSAR.
Das Volk erfuhr's, und hat von ihm nun gleichfalls
Die Klag' erhalten.
AGRIPPA.
Wen beschuldigt er?
CÄSAR.
Cäsarn: Zuerst, daß, als Sizilien wir
Pompejus nahmen, wir nicht abgeteilt
Für ihn die Hälfte: daß er Schiffe mir
Geliehn, und nicht zurück erhielt; dann zürnt er,
Daß Lepidus aus dem Triumvirat
Entsetzt ward, und wir auf sein ganz Vermögen
Beschlag gelegt.
AGRIPPA.
Darauf müßt Ihr erwidern.
CÄSAR.
Das ist geschehn, ich sandte schon den Boten.
Lepidus, schrieb ich, sei zu grausam worden;
Gemißbraucht hab' er seine hohe Macht,
Und diesen Fall verdient. Was ich erobert,
Das woll' ich teilen; doch verlang' ich auch
Ein Gleiches für Armenien und die andern
Besiegten Reiche.
MÄCENAS.
Nimmer räumt er's ein.

CÄSAR.

So wird das andre ihm nicht eingeräumt.

Octavia tritt auf.

OCTAVIA.

Heil Cäsarn, meinem Herrn! Heil, teurer Cäsar!

CÄSAR.

Daß ich dich je Verstoßne mußte nennen! –

OCTAVIA.

Du nanntest nicht mich so, noch hast du Grund.

CÄSAR.

Stahlst du dich heimlich nicht hieher? Du kommst nicht
Wie Cäsars Schwester! Des Antonius Weib
Mußt' uns ein Heer anmelden, und das Wiehern
Der Rosse ihre Ankunft uns verkünden,
Lang' eh' sie selbst erschien: die Bäum' am Wege
Besetzt mit Menschen sein, Erwartung schmachten
In sehnlichem Verlangen: ja, der Staub
Mußte zum Dach des Himmels sich erheben,
Erregt vom Volksgewühl! Allein du kommst
Gleich einer Bäu'rin her nach Rom, die Huld'gung
Vereitelnd unsrer Gunst, die, nicht gezeigt,
Oft ungeliebt bleibt. Dich begrüßen sollten
Gestad' und Meer, auf jeder Ruhestätte
Mit neuem Prunk dich feiernd.

OCTAVIA.

Teurer Bruder,
Nicht kam ich so, weil man mich zwang; ich tat's
Aus freier Wahl. Antonius, mein Gebieter,
Von deiner Rüstung hörend, gab mir Nachricht
Der bösen Zeitung; und sogleich begehrt' ich
Urlaub zur Heimkehr.

CÄSAR.

Den er gern gewährt,
Weil zwischen ihm und seiner Lust du standst!

OCTAVIA.

Denke nicht so!

CÄSAR.

Ich faßt' ihn wohl ins Auge,
Mir bringt der Wind von seinem Tun die Kunde.
Wo ist er jetzt?

OCTAVIA.

Noch in Athen, mein Bruder! –

CÄSAR.

Nein, schwer gekränkte Schwester. Cleopatra
Hat ihn zu sich gewinkt. Er gab sein Reich
An eine Metze, und nun werben sie
Der Erde Kön'ge für den Krieg. Ihm folgen
Bochus, König von Libyen; Archelaus
Von Kappadozien; Philadelphus, König
Von Paphlagonien; Thraziens Fürst Adallas;
Fürst Malchus von Arabien; der von Pontus;
Herodes von Judäa, Mithridat
Von Kommagene: – Polemon und Amintas,
Der Lykaonier und der Meder Fürsten,
Und noch viel andre Szepter.

OCTAVIA.

Ach, ich Ärmste,
In deren Herz sich zwei Geliebte teilen,
Die bittre Feindschaft trennt! –

CÄSAR.

Sei hier willkommen!
Nur deine Briefe hemmten noch den Ausbruch,
Bis wir zugleich erkannt, wie man dich täuschte

Und Säumnis uns gefährde. Sei getrost,
Dich kümmre nicht der Zeitlauf, dessen strenge
Notwendigkeit dein friedlich Glück bedroht.
Nein, schau den vorbestimmten Schicksalsgang
Jetzt ohne Tränen; sei gegrüßt in Rom,
Teurer als je! Weit über alles Maß
Wardst du gekränkt; und die erhabne Gottheit
Macht, dich zu rächen, uns zu ihren Dienern
Und alle, die dich lieben. Teures Leben,
Sei immer uns gegrüßt!

AGRIPPA.
Gegrüßt, Verehrte!

MÄCENAS.
Gegrüßt, erhabne Frau!
Ganz Rom ist Euch ergeben und beklagt Euch;
Nur Marc Anton, im frechen Ehebruch
Und allem Greu'l vermessen, stößt Euch aus,
Und gibt sein Szepter einer Buhlerin
Als Waffe wider uns.

OCTAVIA.
Ist dies die Wahrheit?

CÄSAR.
Nur zu gewiß. Willkommen, Schwester: bitt' dich,
Bleib' standhaft und geduldig! – Liebste Schwester! –

Alle ab.

Siebente Szene

Antonius' Lager bei dem Vorgebirge Aktium. Cleopatra und Enobarbus treten auf.

CLEOPATRA.
Ich werde dir's gedenken, zweifle nicht! –

ENOBARBUS.

Warum? warum denn? –

CLEOPATRA.

Du widersprachst, daß ich zum Kriege folgte,
Und sagt'st, es zieme nicht?

ENOBARBUS.

Nun, ziemt es denn?

CLEOPATRA.

Warum – rechtfert'ge dich – warum nicht zög' ich
Mit ihm ins Feld?

ENOBARBUS *beiseit.*

Ei nun, ich könnt' erwidern,
Wenn wir mit Stut und Hengst zusammen ausziehn,
Dann sei der Hengst zuviel; die Stute trüge
Den Reiter und sein Roß.

CLEOPATRA.

Was sagst du da?

ENOBARBUS.

Eu'r Beisein muß durchaus Anton verwirren
Und ihm an Herz und Hirn und Zeit entwenden,
Was dann höchst unentbehrlich. Zeiht man doch
Ihn schon des Leichtsinns, und erzählt in Rom,
Photinus, der Eunuch, und Eure Weiber
Regierten diesen Krieg.

CLEOPATRA.

Fluch Rom! Verdorren
Die Zungen dieser Läst'rer! Unser ist
Der Krieg, und als der Vorstand meines Reichs
Streit' ich in ihm als Mann. Sprich nicht dagegen,
Ich bleibe nicht zurück.

ENOBARBUS.
Ich sage nichts;
Hier kommt der Imperator.

Antonius und Canidius treten auf.

ANTONIUS.
Wie seltsam ist's, Canidius,
Wie konnt' er von Tarent doch und Brundusium
So schnell durchschneiden das Ion'sche Meer
Und Toryn nehmen? Hörtest du's, Geliebte?
CLEOPATRA.
Geschwindigkeit wird nie so sehr bewundert.
Als von Saumseligen.
ANTONIUS.
Ein guter Vorwurf,
Wie er dem besten Manne wohl geziemt,
Nachlässigkeit zu rügen. – Wir, Canidius,
Bekämpfen ihn zur See.
CLEOPATRA.
Zur See! Wie sonst? –
CANIDIUS.
Warum denn das, mein Feldherr?
ANTONIUS.
Weil er uns dorthin fordert.
ENOBARBUS.
Mein Fürst hat auch zum Treffen ihn gefordert.
CANIDIUS.
Und bei Pharsalia diese Schlacht zu liefern,
Wo Cäsar mit Pompejus focht: doch beides,
Weil's ihm nicht vorteilhaft, weist er zurück;
So solltet Ihr!

ENOBARBUS.

Die Flott' ist schlecht bemannt:
Eu'r Schiffsvolk Landsoldaten, Bauern, Leute
In flücht'ger Eil' geworben; Cäsars Mannschaft
Dieselbe, die Pompejus oft bekämpft,
Leicht seine Segler, Eure schwer. Kein Unheil
Erwächst für Euch, wenn Ihr zur See ihn meidet;
Zu Lande seid Ihr stark.

ANTONIUS.

Zur See! Zur See! –

ENOBARBUS.

O großer Mann! dadurch vernichtest du
Dein' unerreichte Feldherrnkunst zu Land;
Verwirrst dein Heer, von dem die größte Zahl
Erprobtes Fußvolk ist: unangewandt
Bleibt deine Kriegeskenntnis: du verfehlst
Den Weg, der dir Erfolg verheißt, und gibst
Dich selbst dem eitlen Glück und Zufall hin
Statt fester Sicherheit!

ANTONIUS.

Zur See! –

CLEOPATRA.

Ich bring'
Euch sechzig Segel, Cäsar hat nicht beßre.

ANTONIUS.

Der Schiffsmacht Überzahl verbrennen wir,
Und mit dem wohlbemannten Rest, am Vorland
Von Aktium, schlag' ich Cäsarn. Fehlt es uns,
Dann sei's zu Lande noch versucht! –

Ein Bote tritt auf.

Was bringst du?
BOTE.
Es ist bestätigt, Herr, man sah ihn selbst,
Cäsar nahm Toryn ein.
ANTONIUS.
Kann er persönlich dort sein? 's ist unmöglich.
Schon viel, wenn nur sein Heer es ist. Canidius,
Du bleibst am Land mit neunzehn Legionen
Und den zwölftausend Pferden; wir gehn an Bord.

Ein Soldat tritt auf.

Komm, meine Thetis! – Nun, mein würd'ger Kriegsmann?
SOLDAT.
Oh, Imperator! Fechtet nicht zur See,
Baut nicht auf morsche Planken! Traut Ihr nicht
Dem Schwert und diesen Wunden? Laßt die Syrer
Und die Ägypter wie die Enten tauchen:
Wir lernten siegen auf dem festen Grund
Und fechtend Fuß an Fuß.
ANTONIUS.
Schon gut! Hinweg! –

Cleopatra, Antonius und Enobarbus ab.

SOLDAT.
Beim Herkules! Mir deucht, ich habe recht.
CANIDIUS.
Das hast du, Freund. Doch all sein Tun keimt nicht
Aus eigner Macht: So führt man unsern Führer,
Und wir sind Weiberknechte.
SOLDAT.
Ihr behaltet
Zu Land das Fußvolk und die Reiter alle? –

CANIDIUS.
Marcus Octavius und Marcus Justeius,
Publicola und Cälius sind zur See;
Wir alle stehn am Lande. Diese Eil'
Des Cäsar ist unglaublich.
SOLDAT.
Seine Macht
Zog so vereinzelt sich aus Rom, daß er
Die Späher täuschte.
CANIDIUS.
Wißt Ihr, wer sie führt?
SOLDAT.
Man nannte Taurus.
CANIDIUS.
Der ist mir bekannt.

Ein Bote kommt.

BOTE. Der Imperator läßt Canidius rufen.
CANIDIUS. Die Zeit ist Neuigkeiten-schwanger; stündlich Gebiert sie eine.

Alle ab.

Achte Szene

Eine Ebene bei Aktium. Cäsar, Taurus, Hauptleute und Gefolge treten auf.

CÄSAR. Taurus! –
TAURUS. Herr?
CÄSAR.
Kämpf nicht zu Lande; bleib' geschlossen:
Beut nicht die Schlacht, bis sich's zur See entschied;

Durchaus nicht übertrete dies Gebot!
Auf diesem Wurf steht unser Glück.

Gehn ab.

Antonius und Enobarbus treten auf.

ANTONIUS.
Stellt unsre Scharen hinterm Hügel auf,
Im Angesicht von Cäsars Heer: Von dort
Läßt sich die Zahl der Segel übersehn,
Und dem gemäß verfahren.

Gehn ab.

Von der einen Seite Canidius mit seinen Landtruppen über die Bühne ziehend; von der andern Taurus, Cäsars Unterfeldherr. Nachdem sie vorbeimarschiert sind, hört man das Getöse einer Seeschlacht. Feldgeschrei. Enobarbus kommt zurück.

ENOBARBUS.
Schmach, Schmach! O Schmach! Ich kann's nicht länger sehn!
Die Antoniad', Ägyptens Admiralschiff,
Mit allen sechz'gen flieht und kehrt das Ruder:
Dies sehn, verzehrt die Augen mir! –

Scarus tritt auf.

SCARUS.
O Götter und Göttinnen!
O Ratsversammlung aller Himmelsscharen! –
ENOBARBUS.
Warum so außer dir?
SCARUS.
Das größre Eckstück dieser Welt, verloren

Durch baren Unverstand; wir küßten weg
Provinzen und Königreiche!

ENOBARBUS.

Wie schaut das Treffen?

SCARUS.

Auf unsrer Seite wie gebeulte Pest,
Wo Tod gewiß. Die Schandmähr' aus Ägypten –
Der Aussatz treffe sie! In Kampfes Mitte,
Als Vorteil wie ein Zwillingspaar erschien,
Sie beide gleich, ja älter fast der unsre, –
Die Brems' auf ihr, wie eine Kuh im Junius,
Hißt alle Segel auf und flieht.

ENOBARBUS.

Ich sah's;
Mein Aug' erkrankte, wie's geschah; nicht konnt' es
Ertragen, mehr zu schaun.

SCARUS.

Sie kaum gewandt,
Als ihres Zaubers edler Wrack, Antonius,
Die Schwingen spreitend wie ein brünst'ger Entrich,
Die Schlacht verläßt auf ihrer Höh', und fliegt
Ihr nach: –
Noch nimmer sah ich eine Tat so schändlich;
Erfahrung, Mannheit, Ehre hat noch nie
Sich selber so vernichtet! –

ENOBARBUS.

Weh uns! weh! –

Canidius tritt auf.

CANIDIUS.

Zur See ist unser Glück ganz außer Atem
Und sinkt höchst jammervoll. War unser Feldherr heut

Nur, wie er selbst sich kannte, ging es gut!
Oh, er hat Beispiel unsrer Flucht gegeben,
Höchst schmählich, durch die eigne! –

ENOBARBUS *beiseit:*
Ho! steht die Sache so? Dann freilich ist
Es aus.

CANIDIUS.
Zum Peloponnes sind sie entflohn.

SCARUS.
Der läßt sich bald erreichen; dort erwart' ich,
Was weiter folgt.

CANIDIUS.
Ich überliefre Cäsarn
Die Reiter und Legionen; schon sechs Kön'ge
Zeigten, wie man die Waffen streckt.

ENOBARBUS.
Noch will ich
Dem wunden Glück Antonius' folgen, hält
Vernunft schon mit dem Gegenwind die Richtung.

Gehn ab.

Neunte Szene

Alexandrien. Ein Zimmer im Palast. Antonius tritt auf, von einigen Dienern begleitet.

ANTONIUS.
Horch! Mir verbeut der Boden, ihn zu treten,
Er schämt sich, mich zu tragen! Freunde, kommt:
Bin ich doch so verspätet in der Welt,
Daß ich den Weg verlor auf ewig. Nehmt
Mein Schiff mit Gold beladen; teilt es, flieht,
Und macht mit Cäsar Frieden!

ALLE.
Fliehn? Nicht wir! –
ANTONIUS.
Ich selber floh, und lehrte Memmen fliehn
Und ihren Rücken zeigen. Freunde, geht:
Zu neuer Laufbahn hab' ich mich entschlossen,
Die euer nicht bedarf: drum geht,
Mein Schatz liegt dort im Hafen, nehmt ihn! – Oh,
Dem folgt' ich, was mich rot macht es zu schaun;
Ja selbst mein Haar empört sich; denn das weiße
Tadelt des braunen Raschheit, dies an jenem
Feigheit und Wahnwitz! – Freunde, geht! Ich will
Euch Brief' an solche geben, die den Weg
Euch ebnen sollen. Bitt' euch, seid nicht traurig,
Erwidert nicht mit Trübsinn, nehmt die Weisung,
Die mir Verzweiflung rät: verlassen sei,
Was selber sich verläßt! Geht stracks zur See,
Ich schenk' euch jenes Schiff und alles Gold. –
Laßt mich, ich bitt', ein wenig: ich bitt' euch jetzt,
O tut's! denn mein Befehl ist nun zu Ende,
Drum bitt' ich euch. – Ich folg' euch augenblicks.

Er setzt sich nieder.

Cleopatra, geführt von Charmion und Iras, und Eros treten auf.

EROS. O güt'ge Frau, zu ihm! O tröstet ihn! –
IRAS. Tut es, geliebte Fürstin!
CHARMION. Ja, tut es: was auch sonst?
CLEOPATRA. Laß mich niedersitzen! O Juno!
ANTONIUS. Nein, nein, nein, nein! –
EROS. Seht Ihr hier, o Herr?
ANTONIUS. O pfui, pfui, pfui! –

CHARMION. Gnädige Frau! –
IRAS. O Fürstin, güt'ge Kaiserin! –
EROS. Herr, Herr! –
ANTONIUS.
Ja, Herr, o ja! – Er, zu Philippi, führte
Sein Schwertrecht wie ein Tänzer, während ich
Den hagern, finstern Cassius schlug! Ich fällte
Den tollen Brutus; er ließ andre handeln
An seiner Statt und hatte nicht Erfahrung
Im wackern Kampf des Felds. Doch jetzt, – es tut nichts! –
CLEOPATRA.
Oh, steht zurück! –
EROS.
Die Königin, Herr, die Königin!
IRAS.
Geht zu ihm, Fürstin, sprecht zu ihm! –
Er ist sich selbst entfremdet vor Beschämung! –
CLEOPATRA.
Nun wohl denn, – führt mich: – Oh!
EROS.
Erhabner Herr, steht auf: die Königin naht,
Ihr Haupt gesenkt: der Tod ergreift sie, – nur
Durch Euren Trost kann sie genesen.
ANTONIUS.
Verletzt hab' ich die Ehre: –
So schändlich zu entfliehn!
EROS.
Die Fürstin, Herr ...
ANTONIUS.
Oh, wohin bracht'st du mich, Ägypten? Sieh,
Wie ich die Schmach entziehe deinem Auge
Und seh' zurück auf das, was ich verließ,

Zerstört in Schande! –
CLEOPATRA.
O mein teurer Herr,
Vergib den scheuen Segeln! Nimmer glaubt' ich,
Du würdest folgen.
ANTONIUS.
Wußt'st du nicht, Ägypten,
Mein Herz sei an dein Steuer fest gebunden,
Und daß du nach mich rissest? Ha, du kanntest
Die Oberherrschaft über meinen Geist,
Und daß dein Wink vom göttlichen Gebot
Zurück mich herrschte!
CLEOPATRA.
Oh, verzeih'!
ANTONIUS.
Nun muß ich
Dem jungen Mann demüt'gen Vorschlag senden,
Mich windend krümmen niedrigem Vertrag,
Ich, dessen Laune mit des Weltballs Wucht gespielt,
Schicksale schaffend und vernichtend. Ja, du wußtest,
Wie du so ganz mein Sieger warst, und daß
Mein Schwert, entherzt durch meine Lieb', ihr blind
Gehorchen würde.
CLEOPATRA.
O vergib, vergib!
ANTONIUS.
Laß keine Träne fallen! Eine zahlt
Gewinn so wie Verlust; gib einen Kuß,
Schon dies vergilt mir alles. – Unsern Lehrer sandt' ich;
Kam er zurück? Ich fühl' mich schwer wie Blei;
Bringt etwas Wein und Speise! – Glück, du weißt,
Triffst du uns hart, so trotzen wir zumeist.

Alle ab.

Zehnte Szene

Cäsars Lager in Ägypten. Es treten auf Cäsar, Dolabella, Thyreus und andre.

CÄSAR.
Der trete vor, der vom Antonius kommt; –
Kennst du ihn?
DOLABELLA.
's ist der Lehrer seiner Kinder:
Das zeigt, wie kahl er ist, entsandt' er uns
Aus seinem Flügel solche dürft'ge Feder,
Er, der vor wenig Monden Könige könnt'
Als Boten schicken.

Euphronius tritt auf.

CÄSAR.
Komm heran und sprich!
EUPHRONIUS.
So wie ich bin, komm' ich vom Marc Anton:
Ich war noch jüngst so klein für seine Zwecke,
Wie auf dem Myrtenblatt der Morgentau
Dem Meer verglichen.
CÄSAR.
Sei's! Sag deinen Auftrag!
EUPHRONIUS.
Er grüßt dich, seines Schicksals Herrn, und wünscht
Zu leben in Ägypten. Schlägst du's ab,
So mäßigt er die Ford'rung, und ersucht dich,
Gönn' ihm zu atmen zwischen Erd' und Himmel
Als Bürger in Athen. So viel von ihm.

Dann: Cleopatra huldigt deiner Macht,
Beugt sich vor deiner Größ', und fleht von dir
Der Ptolemäer Reif für ihre Söhne,
Als Willkür deiner Gnade.

CÄSAR.

Für Anton
Bin ich der Ford'rung taub. Der Königin
Wird nicht Gehör noch Zugeständnis fehlen,
Treibt sie hinweg den schmachentstellten Buhlen,
Oder erschlägt ihn hier: vollbringt sie dies,
Sei ihr Gesuch gewährt. So viel für beide. –

EUPHRONIUS.

Das Glück geleite dich!

CÄSAR.

Führt ihn durchs Heer!

Euphronius ab.

Zum Thyreus.

Nun zeige deine Rednerkunst; enteile,
Gewinn' Cleopatra ihm ab: versprich
In unserm Namen, was sie heischt, und beut
Nach eignem Sinn weit mehr: Stark sind die Weiber
Im höchsten Glück nicht: Mangel lockt zum Meineid
Selbst der Vestalin Tugend; deine List versuche:
Den Preis der Müh' bestimme selber dir,
Uns sei Gesetz dein Wort!

THYREUS.

Cäsar, ich gehe.

CÄSAR.

Betrachte, wie Anton den Riß erträgt,
Und was sein ganz Benehmen dir verkündet
In jeder äußern Regung!

THYREUS.
Zähl' auf mich!

Alle ab.

Elfte Szene

Alexandrien. Ein Zimmer im Palast. Es treten auf Cleopatra, Enobarbus, Charmion und Iras.

CLEOPATRA.
Was bleibt uns jetzt noch übrig?
ENOBARBUS.
Denken, – sterben.
CLEOPATRA.
Hat dies Antonius, – haben wir's verschuldet?
ENOBARBUS.
Anton allein, der seinen Willen machte
Zum Herrscher der Vernunft. Nun, floht Ihr auch
Des Kriegs furchtbares Antlitz, des Geschwader
Einander schreckten: weshalb folgt' er Euch?
Da durfte seiner Neigung Kitzel nicht
Sein Feldherrntum wegspotten, im Moment,
Da halb die Welt der andern Hälfte trotzte,
Und alles ruht' auf ihm! Das war ein Schimpf,
So groß als sein Verlust, als er Euch nachzog
Und ließ die Flotte gaffend.
CLEOPATRA.
Bitt' dich, schweig'! –

Antonius tritt auf mit Euphronius.

ANTONIUS.
Dies seine Antwort?

EUPHRONIUS.

Ja, mein Herr.

ANTONIUS.

Die Königin
Soll also Gunst erfahren, wenn sie uns
Verraten will?

EUPHRONIUS.

So ist es.

ANTONIUS.

Nun, so sag ihr's!
Schick' dies ergrau'nde Haupt dem Knaben Cäsar,
Dann füllt er dein Begehren bis zum Rand
Mit Fürstentümern.

CLEOPATRA.

Dieses Haupt, mein Feldherr?

ANTONIUS.

Geh wieder hin: Sag ihm, der Jugend Rose
Schmück' ihn, und Großes fordre drum die Welt
Von ihm. – All seine Schätze, Flotten, Heere
Könnt' auch ein Feigling führen, dessen Diener
Auf eines Knaben Wort so leicht wohl siegten,
Als unter Cäsar: drum entbiet' ich ihn,
Sein glänzend Außenwerk beiseit zu tun,
Mit mir Gebeugtem Schwert um Schwert zu fechten,
Er ganz allein. Ich will es schreiben: – Komm!

Antonius und Euphronius ab.

ENOBARBUS.

O ja! Recht glaublich! Cäsar, schlachtenstolz,
Sollte sein Glück vernichten, mit dem Fechter
Den Bühnenkampf versuchen? Ich seh', Verstand
Der Menschen ist ein Teil von ihrem Glück,

Und äußre Dinge ziehn das innre Wesen
Sich nach, daß eines wie das andre krankt. –
Daß er sich's träumen läßt
(Der das Verhältnis kennt), die Fülle Cäsars
Soll seiner Leerheit Rede stehn!
Auch den Verstand hat Cäsar ihm besiegt.

Ein Diener kommt.

DIENER.
Botschaft von Cäsar! –
CLEOPATRA.
Wie? Nicht mehr Gepränge?
Seht, meine Frau'n,
Die zeigen Ekel der verblühten Rose,
Die vor der Knospe knieten. Laßt ihn ein!
ENOBARBUS *beiseit.*
Die Redlichkeit und ich beginnen Händel:
Die Pflicht, die fest an Toren hält, macht Treue
Zur Torheit selbst: doch wer ausdauern kann,
Standhaft zu folgen dem gefallnen Fürsten,
Besieget den, der seinen Herrn besiegt,
Und erntet einen Platz in der Historie.

Thyreus tritt auf.

CLEOPATRA.
Was sendet Cäsar?
THYREUS.
Hört mich allein!
CLEOPATRA.
Hier stehn nur Freunde: Redet!
THYREUS.
Dann sind's vermutlich Freunde Marc Antons?

ENOBARBUS.

Anton bedarf so viel, als Cäsar hat,
Oder bedarf nicht unser. Fordert's Cäsar,
So stürzt mein Herr ihm zu, sein Freund zu sein:
Und wir sind des, dem er gehört, des Cäsar.

THYREUS.

Wohlan: –
Vernimm dann, Hochgerühmte, Cäsar wünscht,
Nicht dein Geschick mögst du so sehr bedenken,
Als daß er Cäsar sei!

CLEOPATRA.

Fahr' fort: recht fürstlich!

THYREUS.

Er weiß, du hast dich dem Anton verbündet,
Aus Neigung minder als gezwungen ...

CLEOPATRA *beiseit.*

Oh!

THYREUS.

Die Kränkung deiner Ehre drum beklagt er,
Als unfreiwill'ge Schmach, die du erduldet
Und nicht verdient. –

CLEOPATRA.

Er ist ein Gott, und sieht
Die Wahrheit. Meine Ehr' ergab sich nicht,
Nein, ward geraubt.

ENOBARBUS *beiseit.*

Das recht genau zu wissen,
Frag' ich Anton. Du Armer wardst so leck,
Wir müssen dich versinken lassen, denn
Dein Liebstes wird dir treulos! –

Ab.

THYREUS.
Meld' ich Cäsarn,
Was du von ihm begehrst? Er bittet dringend,
Du mögest fordern, daß er geb'; es freut ihn,
Willst du sein Glück als einen Stab gebrauchen,
Dich drauf zu stützen; doch sein Herz wird glühn,
Erfährt er, daß du Marc Anton verließest,
Und willst dich bergen unter seinem Schirm,
Des großen Weltgebieters.
CLEOPATRA.
Wie dein Name?
THYREUS.
Mein Nam' ist Thyreus.
CLEOPATRA.
Lieber Abgesandter,
Dem großen Cäsar sag, die Hand des Siegers
In diesem Kampfe küss' ich; meine Krone
Leg' ich zu Füßen ihm, und wolle knieend
Von seinem mächt'gen Hauch Ägyptens Schicksal
Vernehmen.
THYREUS.
Diesen edlen Weg verfolge,
Wenn Klugheit mit dem Glück den Kampf beginnt,
Und jene wagt nur alles, was sie kann,
Ist ihr der Sieg gewiß. Laß huldreich mich
Auf deiner Hand der Ehrfurcht Pflicht besiegeln!
CLEOPATRA.
Der Vater Eures Cäsar
Hat oft, wenn er auf Sturz der Kön'ge sann,
Auf den unwürd'gen Fleck den Mund gedrückt
Mit tausend Küssen.

Antonius und Enobarbus kommen zurück.

ANTONIUS.

Ha! Gunstbezeugung! bei dem Zeus, der donnert,
Wer bist du, Mensch?

THYREUS.

Ein Diener dem Gebot
Des allergrößten Manns, des würdigsten,
Sein Wort erfüllt zu sehn.

ENOBARBUS.

Man wird dich peitschen.

ANTONIUS.

Heran, du Geier! Nun, Götter und Teufel,
Mein Ansehn schmilzt! Noch jüngst rief ich nur: »Ho!«
Und Könige rannten, wie zum Raufen Buben,
Und riefen: »Was befehlt Ihr?« Hört ihr's? Noch
Bin ich Anton. – Nehmt mir den Schalk und peitscht ihn!

ENOBARBUS.

Ihr spielt noch sichrer mit des Löwen Jungen,
Als mit dem alten sterbenden.

ANTONIUS.

Mond und Sterne! –
Peitscht ihn! und wären's zwanzig Bundesfürsten,
Die Cäsarn anerkennen; fand' ich sie
Mit ihrer Hand so frech, – wie heißt sie doch,
Seit sie nicht mehr Cleopatra? Geht, peitscht ihn,
Bis er sein Angesicht verzieht, wie Knaben,
Und wimmert laut um Gnade: Führt ihn fort!

THYREUS.

Antonius ...

ANTONIUS.

Schleppt ihn weg; ist er gepeitscht,
Bringt ihn zurück! Der Narr des Cäsar soll
Uns ein Gewerb' an ihn bestellen.

Gefolge mit dem Thyreus ab.

Ihr wart halb welk, eh' ich Euch kannte: Ha! –
Ließ ich mein Kissen ungedrückt in Rom,
Entsagt' ich der Erzeugung echten Stamms
Vom Kleinod aller Frau'n, daß diese hier
Mit Sklaven mich beschimpfe?

CLEOPATRA.

Teurer Herr! ...

ANTONIUS.

Ihr wart von jeher ungetreu und falsch.
Doch wenn wir in der Sünde uns verhärtet,
O Jammer! dann verblenden unsre Augen
Mit eignem Schmutz die Götter; trüben uns
Das klare Urteil, daß wir unsern Irrtum
Anbeten; lachen über uns, wenn wir
Zum Tode hin stolzieren!

CLEOPATRA.

Kam's so weit?

ANTONIUS.

Ich fand Euch, einen kaltgewordnen Bissen
Auf Cäsars Teller, ja ein Überbleibsel
Cnejus Pompejus'; andrer heißer Stunden
Gedenk' ich nicht, die Eure Lust sich auflas
Und nicht der Leumund nennt: denn ganz gewiß,
Wenn Ihr auch ahnen mögt, was Keuschheit sei,
Ihr habt sie nie gekannt! –

CLEOPATRA.

Was soll mir das?

ANTONIUS.

Daß solch ein Sklav', der wohl ein Trinkgeld nimmt
Und spricht: »Gott lohn' Euch!« keck sich wagt an meine
Gespielin, Eure Hand, dies Königssiegel

Und großer Herzen Pfand! O daß ich stände
Auf Basans Hügel, die gehörnte Herde
Zu überbrüllen! Ward ich doch zum Stier:
Dies sanft verkünden, wär' wie ein armer Sünder,
Der mit umstricktem Hals dem Henker dankt,
Daß er's so rasch gemacht. –

Diener kommen mit Thyreus zurück.

Ward er gepeitscht? –

DIENER.
Recht derb, mein Feldherr.

ANTONIUS.
Schrie er? fleht' um Gnade? –

DIENER.
Er bat um Schonung.

ANTONIUS.
Hast du 'nen Vater noch, der soll's bereun,
Daß du kein Weib geworden. Dir sei Angst,
Cäsarn in seinem Glück zu folgen, seit
Du für dein Folgen wardst gepeitscht: Fortan
Schreck' dich im Fieber jede Damenhand,
Und schüttle dich der Anblick! Geh zum Cäsar,
Erzähl' ihm deinen Willkomm'; sag ihm ja,
Daß er mich zornig macht: er scheint durchaus
Stolz und Verschmähn, nur schauend, was ich bin,
Vergessend, was ich war. Er macht mich zornig;
Und dazu kommt es leicht in dieser Zeit,
Seit gute Sterne, die mich sonst geführt,
Verließen ihre Bahn und ihren Glanz
Zum Pfuhl der Hölle sandten. Steht mein Wort
Und was geschehn Cäsarn nicht an, sag ihm,
Hipparchus, meinen Freigelass'nen, hab' er,

Den soll nach Lust er peitschen, hängen, foltern,
Dann ist er wett mit mir: so zeig' ihm an! –
Nun fort mit deinen Striemen! – Geh! –

Thyreus ab.

CLEOPATRA.
Seid Ihr zu Ende?
ANTONIUS.
Ach! unser ird'scher Mond
Ist nun verfinstert, und das deutet nur
Den Fall des Marc Anton!
CLEOPATRA.
Ich muß schon warten.
ANTONIUS.
Cäsarn zu schmeicheln, konntest du liebäugeln
Dem Sklaven, der den Gurt ihm schnallt?
CLEOPATRA.
Das glaubst du?
ANTONIUS.
Kalt gegen mich?
CLEOPATRA.
Ah, Teurer, ward ich das,
Verhärte Zeus mein kaltes Herz zu Hagel,
Vergift' ihn im Entstehn, und send' auf mich
Die erste Schloße: wie sie trifft mein Haupt,
Schmelze mein Leben hin! Cäsarion töte
Die nächst', und das Gedächtnis meines Schoßes,
Und nach und nach mein ganz Ägypter Volk
Lieg' ohne Grab, wenn der kristallne Regen
Zergeht, bis Nilus' Mücken sie und Fliegen
Als Raub bestatteten!

ANTONIUS.

Ich bin befriedigt. –
Cäsar rückt vor auf Alexandrien;
Da will ich ihn erwarten. Unser Landheer
Hielt rühmlich stand; auch die zerstreuten Schiffe
Sind nun vereint und drohn im Meer als Flotte. –
Wo warst du, kühnes Herz? … Hörst du, Geliebte:
Wenn ich vom Schlachtfeld nochmals wiederkehre,
Den Mund zu küssen, komm' ich ganz in Blut;
Ich und mein Schwert sind Schnitter für die Chronik;
's ist noch nicht aus! –

CLEOPATRA.

Das ist mein wackrer Held! –

ANTONIUS.

Ich will verdoppeln Herz und Mut und Sehnen,
Und wütig fechten. Sonst, als meine Zeit
Noch leicht und hell, erkauft' ein Mann sein Leben
Durch einen Scherz; nun setz' ich ein die Zähne,
Zur Höll' entsendend, was mich aufhält. Kommt,
Noch einmal eine wilde Nacht: ruft mir
All meine ernsten Krieger; füllt die Schalen,
Die Mitternacht noch einmal wegzuspotten! –

CLEOPATRA.

Morgen ist mein Geburtstag:
Ich wollt' ihn still begehn, doch da mein Herr
Antonius wieder ward, bin ich Cleopatra.

ANTONIUS.

So halten wir uns dran.

CLEOPATRA.

Ruft alle tapfern Krieger meines Herrn!

ANTONIUS.

Tut das, ich sprech' sie an. Heut nacht soll Wein

Aus ihren Narben glühn. Kommt, Königin,
Noch frischer Mut! Und kämpf' ich morgen, soll
Der Tod in mich verliebt sein; denn wetteifern
Will ich mit seiner völkermäh'nden Sichel.

Antonius mit Cleopatra und Gefolge ab.

ENOBARBUS.
Den Blitz nun übertrotzt er. Tollkühn sein,
Heißt aus der Furcht geschreckt sein: so gelaunt,
Hackt auf den Strauß die Taub'; und immer seh' ich,
Wie unserm Feldherrn der Verstand entweicht,
Wächst ihm das Herz. Zehrt Mut das Urteil auf,
Frißt er das Schwert, mit dem er kämpft. Ich sinne,
Auf welche Art ich ihn verlassen mag. –

Ab.

Vierter Aufzug

Erste Szene

Cäsars Lager bei Alexandrien. Cäsar, einen Brief lesend, Agrippa, Mäcenas und andre treten auf.

CÄSAR.
Er nennt mich Knabe; schilt, als hätt' er Macht,
Mich von hier wegzuschlagen; meine Boten
Peitscht' er mit Ruten; bot mir Zweikampf an:
Anton dem Cäsar! Wiss' es, alter Raufer,
Es gibt zum Tod noch andre Weg'; indes
Verlach' ich seinen Aufruf.

MÄCENAS.
Denkt, o Cäsar,
Wenn ein so Großer rast, ward er gejagt
Bis zur Erschöpfung. Komm' er nicht zu Atem,
Nutzt seinen Wahnsinn: nimmer hat die Wut
Sich gut verteidigt.

CÄSAR.
Tut den Führern kund,
Daß morgen wir die letzte vieler Schlachten
Zu fechten denken! In den Reih'n der Unsern
Sind, die noch kürzlich dienten Marc Anton,
Genug, ihn einzufangen. Dies besorgt,
Und gebt dem Heer ein Mahl! Wir haben Vorrat,
Und sie verdienten's wohl. Armer Antonius! –

Gehn ab.

Zweite Szene

Alexandrien. Ein Zimmer im Palast. Es treten auf Antonius, Cleopatra, Enobarbus, Charmion, Iras, Alexas und andre.

ANTONIUS.
Er schlug den Zweikampf aus, Domitius?
ENOBARBUS.
Ja.
ANTONIUS.
Und warum tat er's?
ENOBARBUS.
Er meinte, weil er zehnmal glücklicher,
Sei er zehn gegen einen.
ANTONIUS.
Morgen schlag' ich
Zu Meer und Land; dann leb' ich, oder bade
Die sterbende Ehre im Blute mir,
Das wieder Leben schafft. Wirst du brav einhaun?
ENOBARBUS.
Fechten und schrein: »Jetzt gilt's!« –
ANTONIUS.
Brav! Geh, mein Freund,
Ruf meine Hausbedienten! Diese Nacht
Seid fröhlich beim Gelag'! – Gib mir die Hand,
Du warst ehrlich und treu: und so auch du,
Und du, und du, und du: ihr dientet brav,
Und Kön'ge waren eure Kameraden.
CLEOPATRA.
Was soll das?
ENOBARBUS *beiseit.*
Solch seltsam Ding, wie Kummer sprossend treibt
Aus dem Gemüt.

ANTONIUS.

Und ehrlich bist auch du. –
Würd' ich in euch, die vielen, doch verwandelt,
Und ihr zusammen ausgeprägt zu einem
Antonius, daß ich euch könnte dienen,
So bündig, wie ihr mir!

DIENER.

Verhüt' es Gott!

ANTONIUS.

Gut denn, Kam'raden, heut bedient mich noch,
Füllt fleißig meine Becher; ehrt mich so,
Als wäre noch mein Weltreich eu'r Kam'rad,
Und folgsam meinem Ruf!

CLEOPATRA.

Was sinnt er nur?

ENOBARBUS.

Zum Weinen sie zu bringen.

ANTONIUS.

Pflegt mich heut:
Kann sein, es ist das eure letzte Pflicht!
Wer weiß, ob ihr mich wiederseht, und tut ihr's,
Ob nicht als blut'gen Schatten; ob nicht morgen
Ihr einem andern folgt. Ich seh' euch an,
Als nähm' ich Abschied. Ehrliche, liebe Freunde,
Ich stoß' euch nicht von mir, nein, bleib' eu'r Herr,
Vermählt bis in den Tod so treuem Dienst. –
Gönnt mir zwei Stunden noch, mehr bitt' ich nicht,
Und lohnen's euch die Götter! –

ENOBARBUS.

Herr, was macht Ihr,
Daß Ihr sie so entmutigt? Seht, sie weinen,
Ich Esel rieche Zwiebeln auch: ei, schämt Euch,

Und macht uns nicht zu Weibern! –

ANTONIUS.

Ha, ha, ha! –
So will ich doch verhext sein, meint' ich das!
Heil sprieße diesem Tränentau! Herzfreunde,
Ihr nehmt mich in zu schmerzensvollem Sinn,
Denn ich sprach euch zum Trost: ich wünschte ja,
Daß wir die Nacht durchschwärmten; wißt ihr, Kinder,
Ich hoff' auf morgen Glück, und will euch führen,
Wo ich ein siegreich Leben eh'r erwarte,
Als Tod und Ehre. Kommt zum Mahle, kommt,
Und alle Sorg' ertränkt!

Alle ab.

Dritte Szene

Daselbst vor dem Palast. Zwei Soldaten auf ihrem Posten treten auf.

ERSTER SOLDAT.

Bruder, schlaf' wohl! Auf morgen ist der Tag.

ZWEITER SOLDAT.

Dann wird's entschieden, so oder so: leb wohl! –
Vernahmst du nichts Seltsames auf der Straße?

ERSTER SOLDAT.

Nichts. Was geschah?

ZWEITER SOLDAT.

Vielleicht ist's nur ein Märchen; –
Nochmals gut' Nacht!

ERSTER SOLDAT.

Gut' Nacht, Kam'rad!

Zwei andre Soldaten kommen.

ZWEITER SOLDAT.
Soldaten,
Seid ja recht wach!
DRITTER SOLDAT.
Ihr auch: gut' Nacht, gut' Nacht!

Die beiden ersten Soldaten stellen sich auf ihren Posten.

VIERTER SOLDAT.
Hier stehn wir: wenn's nur morgen
Der Flotte glückt, so hoff' ich sehr gewiß,
Die Landmacht hält sich brav.
DRITTER SOLDAT.
Ein wackres Heer,
Voll Zuversicht.

Hoboen unter der Bühne.

VIERTER SOLDAT.
Still! welch ein Klingen?
ERSTER SOLDAT.
Horch!
ZWEITER SOLDAT.
Hört!
ERSTER SOLDAT.
In der Luft Musik?
DRITTER SOLDAT.
Im Schoß der Erde! –
VIERTER SOLDAT.
Das ist ein gutes Zeichen, meint ihr nicht?
DRITTER SOLDAT.
Nein!
VIERTER SOLDAT.
Stille, sag' ich. Was bedeutet das?

ZWEITER SOLDAT.
Gott Herkules, den Marc Anton geliebt,
Und der ihn jetzt verläßt.
ERSTER SOLDAT.
Kommt, laßt uns sehn,
Ob's auch die andern hörten!

Gehn zu den andern Posten.

ZWEITER SOLDAT.
Heda! Leute!
ALLE SOLDATEN.
Was ist das? Hört ihr's wohl?
ERSTER SOLDAT.
Ja, ist's nicht seltsam?
DRITTER SOLDAT.
Hört ihr, Kameraden? Hört ihr's jetzt?
ERSTER SOLDAT.
Folgt diesem Klang bis zu des Postens Grenze,
Seht, wie das abläuft!
ALLE SOLDATEN.
Ja, 's ist wunderbar! –

Gehn ab.

Vierte Szene

Daselbst. Ein Zimmer im Palast. Antonius und Cleopatra, Charmion und anderes Gefolge treten auf.

ANTONIUS.
Eros! Die Rüstung, Eros!
CLEOPATRA.
Schlaf' ein wenig!

ANTONIUS.

Nein, Täubchen! Eros, komm; die Rüstung, Eros! –

Eros kommt mit der Rüstung.

Komm, lieber Freund, leg' mir dein Eisen an!
Wenn uns Fortuna heut verläßt, so ist's,
Weil wir ihr trotzten.

CLEOPATRA.

Sieh, ich helfe auch.
Wozu ist dies?

ANTONIUS.

Ah, laß doch! laß! Du bist
Der Wappner meines Herzens. Falsch; so, so! –

CLEOPATRA.

Geh, still; ich helfe doch: – so muß es sein.

ANTONIUS.

Gut, gut;
Nun sieg' ich sicher. Siehst du, mein Kam'rad? –
Nun geh und rüst' dich auch!

EROS.

Sogleich, mein Feldherr. –

CLEOPATRA.

Ist dies nicht gut geschnallt?

ANTONIUS.

O herrlich! herrlich!
Wer dies aufschnallt, bis es uns selbst gefällt,
Es abzutun zur Ruh', wird Sturm erfahren. –
Du fuschelst, Eros: kräft'gern Knappendienst
Tut meine Kön'gin hier, als du. Mach' fort!
O Liebe,
Sähst du doch heut mein Kämpfen, und verständest

Dies Königshandwerk, dann erblicktest du
Als Meister mich.

Ein Hauptmann tritt auf, gerüstet.

Guten Morgen dir! Willkommen!
Du siehst dem gleich, der Krieges-Amt versteht:
Zur Arbeit, die uns lieb, stehn früh wir auf,
Und gehn mit Freuden dran.

ERSTER HAUPTMANN.
Schon tausend, Herr,
So früh es ist, stehn in dem Kleid von Eisen
Und warten dein am Strand.

Feldgeschrei, Kriegsmusik, Trompeten.

Andre Hauptleute und Soldaten treten auf.

ZWEITER HAUPTMANN.
Der Tag ist schön. Guten Morgen, General!
ALLE.
Guten Morgen, General!
ANTONIUS.
Ein edler Gruß! –
Früh fängt der Morgen an, so wie der Geist
Der Jünglings, der sich zeigen will der Welt. –
So, so; kommt, gebt mir das; hieher: – so recht. –
Fahr' wohl denn, Frau; wie es mir auch ergeht,
Nimm eines Kriegers Kuß! Man müßte schelten,
Und Scham die Wange röten, weilt' ich länger
In müß'gem Abschied. Und so lass' ich dich,
Ein Mann von Stahl! Ihr, die ihr kämpfen wollt,
Folgt mir ganz dicht; ich führ' euch hin. Lebt wohl! –

Antonius, Eros, Hauptleute und Soldaten ab.

CHARMION.
Wollt Ihr in Eu'r Gemach gehn?
CLEOPATRA.
Führe mich! –
Er zieht hin wie ein Held. Oh, daß sich beiden
Der große Streit durch Zweikampf könnt' entscheiden!
Dann, Marc Anton ... doch jetzt, – Gut – fort! –

Fünfte Szene

Antonius' Lager bei Alexandrien. Trompeten. Antonius und Eros treten auf; ein Soldat begegnet ihnen.

SOLDAT.
Gebt heut, ihr Götter, dem Antonius Glück!
ANTONIUS.
Hätt'st du und deine Narben mich bestimmt,
Damals zu Land zu schlagen! ...
SOLDAT.
Tatst du so,
Die abgefallnen Kön'ge und der Krieger,
Der diesen Morgen dich verließ, sie folgten
Noch deinen Fersen.
ANTONIUS.
Wer ging heut morgen?
SOLDAT.
Wer?
Dir stets der Nächste: Ruf' den Enobarbus,
Er hört nicht, oder spricht aus Cäsars Lager:
»Nicht dir gehör' ich an.«
ANTONIUS.
Was sagst du?

SOLDAT.

Herr,
Er ist beim Cäsar.

EROS.

Seine Schätz' und Kisten
Nahm er nicht mit sich.

ANTONIUS.

Ist er fort?

SOLDAT.

Gewiß.

ANTONIUS.

Geh, Eros; send' ihm nach den Schatz! Besorg' es,
Behalte nichts zurück, befehl' ich; meld' ihm
(Ich unterschreib' es) Freundes Gruß und Abschied,
Und sag', ich wünsch', er finde nie mehr Grund,
Den Herrn zu wechseln. Oh, mein Schicksal hat
Auch Ehrliche verführt! Geh! – Enobarbus! –

Gehn ab.

Sechste Szene

Cäsars Lager bei Alexandrien. Trompetenstoß. Es treten auf Cäsar, Agrippa, Enobarbus und andre.

CÄSAR.

Rück' aus, Agrippa, und beginn' die Schlacht!
Anton soll lebend mir gefangen sein:
So tu' es kund!

AGRIPPA.

Cäsar, wie du befiehlst.

Ab.

CÄSAR.
Die Zeit des allgemeinen Friedens naht,
Und sieg' ich heut, dann sproßt von selbst der Ölzweig
Der dreigeteilten Welt.

Ein Bote tritt auf.

BOTE.
Antonius' Heer
Rückt an zur Schlacht. –
CÄSAR.
Geh hin und heiß' Agrippa,
Dir Überläufer vorn ins Treffen stellen,
Daß auf sich selbst Antonius seine Wut
Zu richten scheine!

Cäsar und Gefolge ab.

ENOBARBUS.
Alexas wurde treulos: in Judäa,
Wohin Antonius ihn geschickt, verführt' er
Herodes, sich zum Cäsar hinzuneigen,
Abtrünnig seinem Herrn. Für diese Müh'
Hat Cäsar ihn gehängt. Canidius und die andern,
Die übergingen, haben Rang und Stellen,
Nicht ehrendes Vertraun. Schlecht handelt' ich,
Und das verklagt mich mit so bitterm Schmerz,
Daß nichts mich freut.

Einer von Cäsars Soldaten tritt auf.

SOLDAT.
Enobarbus, Marc Anton
Hat deinen ganzen Schatz dir nachgesandt
Mit seiner Liebe. – Zu meinem Posten kam

Der Bote; der ist jetzt vor deinem Zelt
Und lädt die Mäuler ab. –

ENOBARBUS.
Ich schenk' es dir! –

SOLDAT.
Spotte nicht, Enobarbus:
Ich rede wahr. Schaff' nur in Sicherheit
Den Boten fort; ich muß auf meinen Posten,
Sonst hätt' ich's selbst getan. Dein Imperator
Bleibt doch ein Zeus! –

Geht ab.

ENOBARBUS.
Ich bin der einz'ge Bösewicht auf Erden
Und fühl' es selbst am tiefsten. O Anton,
Goldgrube du von Huld, wie zahltest du
Den treuen Dienst, wenn du die Schändlichkeit
So krönst mit Gold! Dies schwellt mein Herz empor;
Bricht's nicht ein schneller Gram, soll schnellres Mittel
Dem Gram voreilen; doch Gram, ich fühl's, genügt.
Ich föchte gegen dich? Nein, suchen will ich
'nen Graben, wo ich sterben mag. – Der schmählichste
Ziemt meiner letzten Tat am besten.

Ab.

Siebente Szene

Schlachtfeld zwischen den Lagern. Schlachtgeschrei. Trommeln und Trompeten. Agrippa und andre treten auf.

AGRIPPA.
Zurück! Wir haben uns zu weit gewagt:

Selbst Cäsar hat zu tun; der Widerstand
Ist stärker, als wir dachten.

Gehn ab.

Schlachtgeschrei. Es treten auf Antonius und Scarus, verwundet.

SCARUS.
O tapfrer Imperator! das hieß fechten!
Schlugen wir so zuerst, wir jagten sie
Mit blut'gen Köpfen heim.
ANTONIUS.
Du blutest sehr.
SCARUS.
Hier dieser Hieb glich anfangs einem T,
Nun ward daraus ein H.
ANTONIUS.
Sie ziehn zurück!
SCARUS.
Wir jagen sie bis in die Kellerlöcher:
Ich habe Platz noch für sechs Schmarren mehr.

Eros tritt auf.

EROS.
Sie sind geschlagen, Herr, und unser Vorteil
Ist gleich dem schönsten Sieg.
SCARUS.
Kerbt ihre Rücken,
Und greift sie an den Fersen auf, wie Hasen;
Die Memmen klopfen ist ein Spaß.
ANTONIUS.
Dir lohn' ich
Erst für dein kräft'ges Trostwort, zehnfach dann

Für deinen Mut. Nun komm!

SCARUS.

Ich hinke nach.

Alle ab.

Achte Szene

Unter den Mauern von Alexandrien. Schlachtgeschrei. Antonius im Anmarsch; mit ihm Scarus und Fußvolk.

ANTONIUS.

Wir schlugen ihn ins Lager. Einer laufe,
Der Kön'gin meld' er unsre Gäste. Morgen,
Eh' Sonn' uns sieht, vergießen wir das Blut,
Das heut uns noch entkam. Ich dank' euch allen;
Denn tücht'ge Hände habt ihr, fochtet nicht,
Als dientet ihr der Sache, nein, als wär' sie
Wie meine, jedes eigne: Alle wart ihr Hektors.
Zieht in die Stadt, herzt eure Freund' und Weiber,
Rühmt eure Tat, laßt sie mit Freudentränen
Eu'r Blut abwaschen, eure Ehrenwunden
Gesund euch küssen!

Zum Scarus.

Gib mir deine Hand!

Cleopatra tritt auf mit Gefolge.

Der großen Fee laß mich dein Lob verkünden,
Ihr Dank soll dich besel'gen! Tag der Welt,
Umschließ' den erznen Hals, spring', Schmuck und alles,
Durch festen Harnisch an mein Herz, und dort
Siegprang' auf seinem Klopfen! –

CLEOPATRA.

Herr der Herrn! –
O unbegrenzter Mut! Kommst du so lächelnd
Und frei vom großen Netz der Welt?

ANTONIUS.

O Nachtigall,
Wir schlugen sie zu Bett! Ha, Kind! Ob Grau
Sich etwas mengt ins junge Braun, doch blieb uns
Ein Hirn, das unsre Nerven nährt, den Preis
Und Kampf der Jugend abgewinnt. Schau diesen,
Reich' seinen Lippen deine Götterhand:
Küss' sie, mein Krieger: der hat heut gefochten,
Als ob ein Gott, dem Menschenvolk verderblich,
In der Gestalt es würgte.

CLEOPATRA.

Du bekommst
'ne Rüstung ganz von Gold: ein König trug sie!

ANTONIUS.

Er hat's verdient: wär' sie auch voll Karfunkeln,
Wie Phöbus' heil'ger Wagen. – Deine Hand!
Durch Alexandrien in freud'gem Marsch
Tragt den zerhackten Schild, wie's Helden ziemt:
Hätt' unser großer Burghof Raum genug
Für dieses Heer, wir zechten dort zu Nacht
Und tränken auf des nächsten Tages Glück
Und königliche Todsgefahr. Drommeten,
Betäubt mit erznem Schall das Ohr der Stadt,
Mischt euch mit unsrer Trommeln Wirbelschlag,
Daß Erd' und Himmelsschall zusammen dröhnen,
Und unsre Ankunft grüßen!

Gehn ab.

Neunte Szene

Cäsars Lager. Schildwachen auf ihren Posten. Enobarbus tritt auf.

ERSTER SOLDAT.
Sind wir nicht abgelöst in einer Stunde,
So müssen wir zurück zur Wacht. Der Mond
Scheint hell, und wie es heißt, beginnt die Schlacht
Früh um die zweite Stunde.

ZWEITER SOLDAT.
Gestern war
Ein schlimmer Tag für uns! –

ENOBARBUS.
Nacht, sei mein Zeuge!

DRITTER SOLDAT.
Wer ist der Mann?

ZWEITER SOLDAT.
Sei still und horch' auf ihn!

ENOBARBUS.
Bezeuge mir's, o segenreicher Mond,
Wenn einst die Nachwelt treuvergeßner Männer
Mit Haß gedenkt, – der arme Enobarbus
Bereut vor deinem Antlitz.

ERSTER SOLDAT.
Enobarbus!

DRITTER SOLDAT.
Still da! horcht weiter! –

ENOBARBUS.
Du höchste Herrscherin wahrhafter Schwermut,
Den gift'gen Tau der Nacht gieß über mich,
Daß Leben, meinem Willen längst empört,
Nicht länger auf mir laste! Wirf mein Herz

Wider den harten Marmor meiner Schuld!
Gedörrt von Gram zerfall' es dann in Staub,
Mit ihm der böse Sinn! O Marc Antonius,
Erhabner, als mein Abfall schändlich ist,
Vergib du mir in deinem eignen Selbst,
Doch laß die Welt mich zeichnen in die Reih'n
Der flücht'gen Diener und der Überläufer! –
O Marc Anton! O Marc Anton! –

Er stirbt.

ZWEITER SOLDAT.
Kommt, redet
Ihn an!

ERSTER SOLDAT.
Nein, horcht: denn was er sagt,
Kann Cäsarn angehn.

ZWEITER SOLDAT.
Du hast recht. Doch schläft er.

ERSTER SOLDAT.
Liegt wohl in Ohnmacht; denn so schlimmes Beten
Ging keinem Schlaf voran.

ZWEITER SOLDAT.
Gehn wir zu ihm!

DRITTER SOLDAT.
Erwacht, erwacht, Herr! Redet!

ZWEITER SOLDAT.
Hört Ihr, Herr?

ERSTER SOLDAT.
Die Hand des Tods ergriff ihn. Hört! die Trommel
Weckt feierlich die Schläfer; kommt und tragt ihn
Zur Wach': er ist von Ansehn. Unsre Stunde
Ist abgelaufen.

DRITTER SOLDAT.
Nun so kommt; vielleicht
Erholt er sich.

Gehn ab und tragen den Körper fort.

Zehnte Szene

Zwischen den zwei Lagern. Es treten auf Antonius und Scarus mit Truppen.

ANTONIUS.
Heut rüsten sie sich auf den Kampf zur See,
Zu Land gefall'n wir ihnen nicht.
SCARUS.
Herr, nirgend! –
ANTONIUS.
Und kämpften sie in Feuer oder Luft,
Wir föchten auch dort. Doch so sei's: das Fußvolk
Dort auf den Hügeln, so die Stadt begrenzen,
Zieht her zu mir; zur See befahl ich ihnen,
Den Hafen zu verlassen. Nun hinan,
Wo ihre Stellung wird erspäht am besten
Und jegliche Bewegung!

Gehn weiter.

Cäsar kommt mit seinen Truppen.

CÄSAR.
Greift er nicht an (und kaum vermut' ich es),
So bleibt zu Lande ruhig: seine Hauptmacht
Entsandt' er auf die Schiffe. Nun zur Nied'rung,
Und haltet euch aufs beste!

Gehn ab.

Antonius und Scarus kommen zurück.

ANTONIUS.

Noch nicht zum Kampf geschart! Dort bei der Fichte
Kann ich's ganz übersehn: gleich meld' ich dir,
Wie es sich anläßt.

Ab.

SCARUS.

Schwalben nisteten
In den ägypt'schen Segeln. Unsre Augurn
Verstummen, woll'n nichts wissen, sind verstört,
Und scheun zu reden, was sie sahn. Antonius
Ist mutig und verzagt, und fieberhaft
Gibt sein zerstörtes Glück ihm Furcht und Hoffnung
Des, was er hat und nicht hat.

Schlachtgetöse in der Ferne, wie von einem Seetreffen. Antonius kommt zurück.

ANTONIUS.

Alles hin!
Die schändliche Ägypterin verriet mich;
Dem Feind ergab sich meine Flotte: dort
Schwenken sie ihre Mützen, zechen sie,
Wie Freunde lang getrennt. Dreifache Hure!
Du hast dem Knaben mich verkauft! Mein Herz
Führt Krieg mit dir allein. – Heiß' alle fliehn!
Denn wenn ich mich gerächt an meinem Zauber,
Bin ich zu Ende: Geh! heiß' alle fliehn! –

Scarus ab.

O Sonne! Nimmer seh' ich deinen Aufgang!
Ich und Fortuna scheiden hier: – hier grade schütteln

Die Hand wir uns! Kam es dahin? Die Herzen,
Die hündisch mir gefolgt, die jeden Wunsch
Von mir verlangten,
Die schmelzen hin und tauen ihre Huld
Auf den erblüh'nden Cäsar;
Und abgeschält nun steht die Fichte da,
Die alle überragt! Ich bin verkauft!
O falsch ägyptisch Herz! o tiefer Zauber!
Du winkt'st mein Heer zum Krieg, du zogst es heim,
Dein Busen war mein Diadem, mein Ziel,
Und du, ein echt Zigeunerweib, betrogst mich
Beim falschen Spiel um meinen ganzen Einsatz!
He, Eros! Eros!

Cleopatra kommt.

Ah, du Blendwerk! Fort!

CLEOPATRA.

Was tobt mein Freund so gegen die Geliebte?

ANTONIUS.

Entfleuch, sonst zahl' ich dir verdienten Lohn
Und schände Cäsars Siegszug. Nehm' er dich;
Hoch aufgestellt den jauchzenden Plebejern,
Folg' seinem Wagen als der größte Fleck
Des Frau'ngeschlechts! – Laß dich als Monstrum zeigen
Den schäbigsten Gesell'n und Tölpeln; laß
Die sanfte Octavia dein Gesicht zerfurchen
Mit scharfen Nägeln!

Cleopatra ab.

– Gut, daß du gegangen,
Wenn's gut ist, daß du lebst; doch besser war's,
Du fielest meiner Wut: der einen Tod

Erhielt' am Leben viele. – Eros, ha!
Des Nessus Hemd umschließt mich! Lehre mich,
Alcides, großer Ahnherr, deine Wut:
Laß mich ans Horn des Monds den Lichas schleudern,
Und diese Hand, die Riesenkeulen schwang,
Mein edles Selbst zerstören! Tod der Zaub'rin!
Dem Buben Roms gab sie mich preis; ich falle
Durch diesen Trug: drum Tod ihr! – Eros, ho! –

Ab.

Elfte Szene

Alexandrien. Zimmer im Palast. Cleopatra, Charmion, Iras und Mardian treten auf.

CLEOPATRA.
Helft mir! Oh, er rast mehr als Telamon
Um seinen Schild; der Eber von Thessalien
Hat niemals so geschäumt.
CHARMION.
Zum Monument!
Da schließt Euch ein, meldet ihm Euern Tod!
Mehr schmerzt das Scheiden nicht von Seel' und Leib,
Als Größe, die uns abfällt.
CLEOPATRA.
Hin zum Grabmal!
Mardian, geh, sag ihm, ich erstach mich selbst;
Sag ihm, mein letztes Wort war »Marc Anton«;
Und recht wehmütig sprich's: ich bitt' dich! Geh,
Mardian, und melde mir, wie er es nimmt!
Zum Monument!

Alle ab.

Zwölfte Szene

Daselbst. Ein anderes Zimmer. Antonius und Eros treten auf.

ANTONIUS.

Eros, siehst du mich noch?

EROS.

Ja, hoher Feldherr.

ANTONIUS.

Oft sehn wir eine Wolke, drachenhaft,
Oft Dunstgestalten gleich dem Leu, dem Bär,
Der hochgetürmten Burg, dem Felsenhang,
Gezackter Klipp' und blauem Vorgebirg',
Mit Bäumen drauf, die nicken auf die Welt,
Mit Luft die Augen täuschend: solche Zeichen sahst du,
Des dunkeln Abends Prachtgebilde.

EROS.

Ja,
Mein edler Herr.

ANTONIUS.

Was jetzt ein Pferd noch war, im nächsten Nu
Verschwemmt's der Wolkenzug, unkenntlich wird's,
Wie Wasser ist im Wasser. –

EROS.

Ja, so ist's.

ANTONIUS.

Mein guter Freund, solch einem Bilde gleicht
Dein Feldherr jetzt. Noch bin ich Marc Anton;
Doch bleibt mir nicht, mein Freund, dies Lebensbild.
Der Krieg war für Ägypten, – und die Königin –
Ihr Herz, wähnt' ich, war mein, denn meins war ihr –,
Und als es mein, da zog's Millionen andre
Mir nach, die jetzt dahin, – sie hat, mit Cäsarn

Die Karten mischend, falsch ihm meinen Ruhm,
Dem Triumph des Feindes zugespielt!
Nein, lieber Eros! Weine nicht! Es blieb noch
Ich selbst, mit mir zu enden. Oh, die Arge! –

Mardian kommt.

Sie hat mein Schwert gestohlen!

MARDIAN.
Nein, Antonius,
Meine Herrin liebte dich, und knüpft' ihr Schicksal
An deines fest.

ANTONIUS.
Fort, schnöder Hämling, schweig'!
Verraten hat sie mich, und sie soll sterben.

MARDIAN.
Den Tod kann jeder Mensch nur einmal zahlen;
Sie hat die Schuld getilgt. Was du gewollt,
Ist schon vollbracht. Ihr letztes Wort im Leben
War »Marc Antonius, edler Marc Anton!« –
Dann brach ein stöhnend Ächzen mitten durch
Das Wort Antonius; es blieb geteilt
So zwischen Herz und Lippen: sie verschied,
Und ward des Namens Grab.

ANTONIUS.
Tot also?

MARDIAN.
Tot.

ANTONIUS.
– Eros, entwaffne mich:
Des langen Tages Arbeit ist getan,
Ich geh' zur Ruh'. Daß du in Frieden ziehn magst,
Zahlt reichlich deinen Gang. Fort! Ab! Reiß' ab! –

Mardian geht.

Nicht Ajax' siebenfält'ger Schild bewahrte
Vor diesem Sturm mein Herz. O brecht, ihr Seiten!
Herz, diesmal stärker sei als deine Hülle,
Spreng' dein zerbrechlich Haus! Schnell, Eros, schnell!
Kein Krieger mehr! Lebt wohl, zerschlagne Waffen,
Ihr dientet mir mit Ehren. – Geh ein Weilchen! –

Eros ab.

Ich hole bald dich ein, Cleopatra,
Und weine um Verzeihung: also sei's!
Aufschub ist Folter; weil dein Licht erlosch,
Ruh' aus, schweife nicht länger: Jetzt verdirbt
Alles Bemühn das Werk: Kraft selber wird verstrickt
Durch Kraft … Drum zugesiegelt, dann ist's gut! –
Eros! – ich komme, Kön'gin! Eros! – Weile noch:
Wo Seelen ruhn auf Blumen, wandeln wir,
Daß Geister staunen unserm freud'gen Gang,
Dido und ihr Äneas stehn verlassen,
Und alles schwärmt uns nach. Komm, Eros! Eros!

Eros kommt zurück.

EROS.
Was ruft mein Herr?
ANTONIUS.
Seit sie vorangegangen,
Lebt' ich in solcher Schmach, daß meine Feigheit
Den Göttern ward zum Abscheu. Ich, des Schwert
Die Welt geteilt, der auf des Meeres Wogen
Schiffe zu Städten schuf, bin nun verdammt,
Dem Weib an Mut zu weichen, minder kühn
Als sie, die sterbend unserm Cäsar sagt:

»Ich überwand mich selbst.« Du schwurst mir, Eros,
Käm' es zum Äußersten – (und wahrlich, jetzt
Kam es so weit), und säh' ich hinter mir
Die unvermeidliche Verfolgung
Von Schmach und Schande: dann, auf mein Geheiß,
Wollt'st du mich töten. Tu's! die Zeit ist da!
Nicht triffst du mich, – den Cäsar schlägst du nieder.
Ruf' Farb' auf deine Wangen!

EROS.

Götter! Nein!
Sollt' ich das tun, was alle Partherspeere,
Ob feindlich, nicht vermocht, ihr Ziel verfehlend?

ANTONIUS.

Mein Eros,
Möcht'st du am Fenster stehn im großen Rom,
Und deinen Feldherrn schaun, verschränkt den Arm,
Geneigt den unterjochten Hals, sein Antlitz
Durchglüht von Scham, indes der Siegerwagen
Des freud'gen Cäsar auf des Folgers Feigheit
Ein Brandmal drückte?

EROS.

Nimmer möcht' ich's schaun.

ANTONIUS.

So komm, mit einer Wunde heilst du mich.
Zieh' dies dein wackres Schwert, das du geführt
So nützlich für dein Land!

EROS.

O Herr, verzeiht mir!

ANTONIUS.

Als ich dich frei ließ, schwurst du's damals nicht,
Zu tun, wenn ich's verlangte? Tu's mit eins,
Sonst wird dein früh'rer treuer Dienst durchaus

Gedankenloser Zufall. Zieh', und schnell!

EROS.

So wende denn von mir das edle Antlitz,
Aus dem die Majestät des Weltalls blickt!

ANTONIUS.

Wohlan!

Wendet sich ab.

EROS.

Ich zog das Schwert.

ANTONIUS.

Vollende dann mit eins,
Weshalb du's zücktest!

EROS.

Mein geliebter Herr,
Mein Held, mein Imperator! Nun sag' ich
Vor diesem blut'gen Streich dir Lebewohl!

ANTONIUS.

Du sprachst es, Lieber; leb denn wohl! –

EROS.

Leb wohl, mein Feldherr! Stoß' ich jetzt?

ANTONIUS.

Ja, Eros.

EROS.

Nun, so dann: so entrinn' ich denn der Qual,
Antonius' Tod zu sehn.

Fällt in sein Schwert.

ANTONIUS.

Oh, dreimal edler du als ich!
Du lehrtest mich, mein tapfrer Eros, was
Ich sollt' und du nicht konntest. Meine Königin

Und du, ihr mahntet durch eu'r großes Beispiel
Mich an den alten Mut. Nun will ich sein
Ein Bräutigam dem Tod, und zu ihm eilen
Wie zu der Liebsten Bett. Wohlan! Und Eros,
Dein Meister stirbt dein Schüler: das zu tun

fällt in sein Schwert

Lernt' ich von dir … Was? – Nicht tot? Nicht tot? Wache!
Oh, endet nun mit mir! –

Dercetas kommt mit Wache.

ERSTE WACHE.
Was für ein Lärm?
ANTONIUS.
Ich machte schlecht mein Werk: vollendet, Freunde,
Was ich begonnen!
ZWEITE WACHE.
Unser Stern ging unter!
[ERSTE WACHE].
Und unsre Zeit ist aus!
ALLE.
Weh allen! Weh! –
ANTONIUS.
Oh, wer mich lieb hat, töte mich!
ERSTE WACHE.
Nicht ich.
ZWEITE WACHE.
Ich auch nicht.
DRITTE WACHE.
Keiner hier!

Wachen gehn ab.

DERCETAS.
Dein Tod und Schicksal scheucht die Freunde weg.
Cäsarn dies Schwert mit dieser Post nur zeigen,
Verschafft mir Würden.

Diomedes tritt auf.

DIOMEDES.
Wo ist Anton?
DERCETAS.
Hier, Diomed.
DIOMEDES.
Lebt er?
Willst du nicht Antwort geben?

Dercetas geht.

ANTONIUS.
Diomed, bist du's? Oh, zieh' dein Schwert und gib mir
Den Todesstreich!
DIOMEDES.
Erhabenster Gebieter,
Cleopatra, meine Fürstin, sandte mich.
ANTONIUS.
Wann schickte sie?
DIOMEDES.
Jetzt eben, Herr.
ANTONIUS.
Wo ist sie?
DIOMEDES.
In ihrem Grabmal. Ein prophetisch Ahnen
Weissagt' ihr, was geschehn. Denn als sie sah
(Was nimmer sich bewähren wird) Euch mißtraun,
Sie halt' es mit dem Cäsar, und Eu'r Grimm

Sei nicht zu sänft'gen, gab sie sich für tot;
Dann, fürchtend, wie Ihr's tragen möchtet, hieß sie
Mich, Euch die Wahrheit künden: doch ich kam
Zu spät, besorg' ich.

ANTONIUS.
Zu spät, mein Diomed. Ruf' mir die Wache! –

DIOMEDES.
He, he! Des Feldherrn Wache! Wache, he!
Kommt, eu'r Gebieter ruft.

Einige von der Wache kommen zurück.

ANTONIUS.
Tragt mich zur Kön'gin, meine guten Freunde:
Dies ist der letzte Dienst, den ich verlange.

ERSTE WACHE.
Weh' über uns! Daß Ihr nicht überlebt
All Eure treuen Diener!

ALLE.
Tag des Jammers!

ANTONIUS.
Nein, Kinder, schmeichelt nicht dem argen Schicksal,
Gönnt ihm nicht euren Kummer: heißt willkommen,
Was uns als Strafe naht, so strafet ihr's,
Indem ihr's leicht ertragt. Nun hebt mich auf!
Ich führt' euch oft: nun tragt mich, liebe Freunde,
Und nehmt für alles Dank! –

Sie tragen den Antonius weg.

Dreizehnte Szene

Daselbst. Ein Monument. Cleopatra, Charmion und Iras erscheinen oben auf dem Monument.

CLEOPATRA.
O Charmion, ich will nie von hier mehr gehn.
CHARMION.
O tröstet Euch, Verehrte!
CLEOPATRA.
Nein, ich will nicht;
Entsetzen sei und Schrecknis mir willkommen,
Doch Trost verschmähn wir: unsres Schmerzes Größe,
Der Ursach' gleich gemessen, sei so furchtbar,
Als was ihn uns erregt.

Diomedes tritt auf.

Sprich, ist er tot?
DIOMEDES.
Sein Tod schwebt über ihm, doch lebt er noch.
Schaut nur nach jener Seite Eures Grabmals,
Dort bringt ihn schon die Wache.

Antonius wird von der Wache hereingetragen.

CLEOPATRA.
O du Sonne,
Verbrenne deine Sphäre! Nacht, steh fest
Auf wechselnden Weltfluren! O Antonius,
Anton, Anton! O Charmion, hilf, hilf, Iras,
Helft, Freunde, unten. Zieht herauf ihn!
ANTONIUS.
Still!
Nicht Cäsars Kraft besiegte Marc Anton,

Nein, Marc Anton erlag sich selber nur!
CLEOPATRA.
So mußt' es sein; Antonius konnt' allein
Anton bewältigen: doch weh dem Tag!
ANTONIUS.
Ich sterb', Ägypten, sterbe; nur ein Weilchen
Lass' ich den Tod noch warten, bis ich dir
Von so viel tausend Küssen den armen letzten
Auf deine Lippen drückte.
CLEOPATRA.
Ich wag' es nicht, –
O teurer Herr, vergib! – Ich wag' es nicht,
Sie fahn mich sonst. Nein! nicht das Siegsgepränge
Des hochbeglückten, übermüt'gen Cäsar
Zier' ich jemals. Bleibt Messern, Giften, Schlangen
Nur Schärfe, Kraft und Stachel, bin ich sicher.
Eu'r Weib Octavia mit dem kalten Blick
Und stillem Gleichmut soll nicht Ehr' empfangen,
Indem sie streng mich ansieht. Komm, Antonius,
Helft, meine Frau'n, wir ziehn dich hier herauf;
Faßt alle an!
ANTONIUS.
O schnell, sonst bin ich hin.
CLEOPATRA.
O seltsam Spiel! Wie schwer du wiegst, Geliebter!
All unsre Stärke ging in Schwermut unter,
Das mehrt die Last. Hätt' ich der Juno Macht,
Merkur, der Kraftbeschwingte, höbe dich,
Und setzte dich an Jovis Seite. Komm nur!
Wünschen war nimmer Torheit: komm, komm, komm:
Willkommen, willkommen! Stirb nun, wo du lebtest,
Leb' auf im Kuß! Vermöchten das die Lippen,

Wegküssen sollt'st du sie! –

ALLE.

O jammervoll!

ANTONIUS.

Ich sterb', Ägypten, sterbe! –
Reicht mir ein wenig Wein, daß ich noch rede! –

CLEOPATRA.

Nein, laß mich reden, laß so laut mich schelten,
Bis sie, gekränkt, das falsche Weib Fortuna,
Ihr spinnend Rad zerbricht.

ANTONIUS.

Ein Wort, Geliebte:
Beim Cäsar such' dir Schutz und Ehre ... Oh!

CLEOPATRA.

Die gehn nicht mit einander.

ANTONIUS.

Hör' mich, Liebe:
Von Cäsars Volk trau' nur dem Proculejus!

CLEOPATRA.

Ich trau' auf meinen Mut und meine Hand,
Keinem von Cäsars Volk.

ANTONIUS.

Den jammervollen Wechsel und mein Sterben –
Beweint, beklagt sie nicht; stärkt Eu'r Gedächtnis
An der Erinn'rung meines frühern Glücks,
Das mich erhob zum ersten Weltgebieter,
Zum edelsten; und jetzt, nicht feige sterb' ich,
Noch ehrlos, neige meinen Helm dem Landsmann,
Ein Römer, männlich nur besiegt vom Römer.
Jetzt nun entflieht mein Geist, das Wort erstirbt.

Er stirbt.

CLEOPATRA.

O edelster der Männer! willst du scheiden?
So sorgst du nicht um mich? Aushalten soll ich
In dieser schalen Welt, die ohne dich
Nicht mehr ist als ein Viehstall? Seht, ihr Frau'n,
Die Krone schmilzt der Erde! O mein Herr!
Oh, hingewelkt ist aller Siegeslorbeer,
Gestürzt des Kriegers Banner: Dirn' und Knabe
Stehn jetzt den Männern gleich: kein Abstand mehr,
Nichts Achtungswertes bietet mehr sich dar
Unter dem späh'nden Mond.

Sie fällt in Ohnmacht.

CHARMION.

O Fassung, Fürstin!

IRAS.

Sie stirbt auch, unsre Königin!

[CHARMION.

Herrin!

IRAS.

Fürstin!]

CHARMION.

O Fürstin, Fürstin, Fürstin! –

IRAS.

Ägyptens Krone, unsre Herrscherin!

CHARMION.

Still, Iras, still!

CLEOPATRA.

Nichts mehr, als jeglich Weib, und untertan
So armem Schmerz, als jede Magd, die melkt
Und niedern Hausdienst tut. Nun könnt' ich gleich
Mein Szepter auf die neid'schen Götter schleudern,

Und rufen, diese Welt glich' ihrer ganz,
Bis sie gestohlen unsern Diamant!
Nichtsnutzig alles jetzt!
Geduld ist läppisch, Ungeduld ziemt nur
Den tollgewordnen Hunden! Ist's denn Sünde,
Zu stürmen ins geheime Haus des Todes,
Eh' Tod zu uns sich wagt? Was macht ihr, Mädchen?
Was, was? getrost! Wie geht dir's, Charmion?
Ihr edlen Dirnen! Ach! – Seht, Weiber, seht,
Unsre Leucht' erlosch, ist aus! Seid herzhaft, Kinder:
Begraben woll'n wir ihn; was groß, was edel,
Vollzichn wir dann nach hoher Römer Art.
Stolz sei der Tod, uns zu empfangen! Kommt,
Dies Haus des Riesengeistes ist nun kalt!
Ach Mädchen, Mädchen, kommt! In dieser Not
Blieb uns kein Freund, als Mut und schneller Tod.

Geht ab. Antonius' Leiche wird oben weggetragen.

Fünfter Aufzug

Erste Szene

Cäsars Lager vor Alexandrien. Es treten auf Cäsar, Agrippa, Dolabella, Mäcenas, Gallus, Proculejus und andre.

CÄSAR.
Geh, Dolabella, heiß' ihn, sich ergeben:
Da es so ganz umsonst, sag ihm, er spott
Der Zög'rung, die er macht.
DOLABELLA.
Ich gehe, Cäsar.

Ab.

Dercetas kommt mit dem Schwert des Antonius.

CÄSAR.
Was soll uns das? Und wer bist du, der wagt,
Uns so zu nahn?
DERCETAS.
Dercetas heiß' ich, Herr;
Ich diente Marc Anton, dem Besten, wert
Des besten Diensts; solang' er stand und sprach,
War er mein Herr: mein Leben trug ich nur,
An seine Hasser es zu wagen. Willst du
Mich zu dir nehmen? Was ich ihm gewesen,
Will ich dem Cäsar sein. Gefällt dir's nicht,
So nimm mein Leben hin!
CÄSAR.
Was sagst du mir?

DERCETAS.

Ich sag', o Cäsar, Marc Anton ist tot.

CÄSAR.

Daß nicht den Einsturz solcher Macht verkündet
Ein stärkres Krachen! Soll der Welt Erschütt'rung
Nicht Löwen in der Städte Gassen treiben
Und Bürger in die Wüste? Antonius' Tod
Ist nicht ein einzeln Sterben: denn so hieß
Die halbe Welt.

DERCETAS.

Er ist gestorben, Cäsar.
Kein Henker des Gerichts auf offnem Markt,
Kein mordgedungner Stahl, nein, jene Hand,
Die seinen Ruhm in Taten niederschrieb,
Hat mit dem Mut, den ihr das Herz geliehn,
Sein Herz durchbohrt. Dies ist sein Schwert,
Ich raubt' es seiner Wund'; es ist gefärbt
Mit seinem reinsten Blut.

CÄSAR.

Ihr trauert, Freunde?
So strafe Zeus mich! Dies ist eine Botschaft,
Ein Königsaug' zu feuchten!

AGRIPPA.

Seltsam ist's,
Daß uns Natur das zu beweinen zwingt,
Was wir erstrebt mit Eifer!

MÄCENAS.

Ruhm und Unwert
Wog gleich in ihm.

AGRIPPA.

Nie lenkt' ein höh'rer Geist
Ein menschlich Wesen; doch ihr Götter leiht

Uns Fehler, daß wir Menschen sei'n. – Weint Cäsar?

MÄCENAS.

Wird ihm solch mächt'ger Spiegel vorgehalten,
Muß er sich selber schaun.

CÄSAR.

O Marc Anton! –
Bis dahin bracht' ich dich! Doch nähren wir
Den Todeskeim in unsrer Brust: gezwungen mußt' ich
Dir solchen trüben Tag des Falls bereiten,
Wenn du nicht mir: Raum war nicht für uns beide
In ganzer weiter Welt. Und doch beklag' ich's nun,
Mit Tränen, kostbar wie des Herzens Blut,
Daß du, mein Bruder, du, mein Mitbewerber
Zum Gipfel jedes Ruhms, mein Reichsgenoß,
Freund und Gefährt' im wilden Sturm der Schlacht,
Arm meines Leibes, Herz, an dem das meine
Sich Glut entzündete, – daß unsre Sterne,
Nie zu versöhnen, so zerreißen mußten
Die vor'ge Einheit. Hört mich, werte Freunde, –
– Doch sag' ich's lieber euch zu beßrer Zeit!

Ein Bote kommt.

Des Mannes Botschaft kündet schon sein Blick!
Laßt uns ihn hören! Woher bist du?

BOTE.

Nur
Ein armer Ägypter. Meine Königin,
In ihrem Grabmal (ihrer Habe Rest)
Verschlossen, wünscht zu wissen deine Absicht;
Daß sie sich fassen mög' und vorbereiten
Auf ihre Zukunft.

CÄSAR.

Sprich ihr Mut und Trost:
Bald meldet einer ihr der Meinigen,
Welch ehrenvoll und mildes Los wir schon
Für sie bestimmt: denn Cäsar kann nicht leben
Und hart gesinnt sein.

BOTE.

Schütze dich der Himmel!

Ab.

CÄSAR.

Komm hieher, Proculejus; geh', verkünd' ihr,
Ich sei nicht willens, sie zu kränken. Gib ihr
Trost, wie's der Umfang ihres Wehs erheischt.
Daß sie großherzig nicht durch eignen Tod
Uns überwinde. Sie, nach Rom geführt,
Würd' unsern Siegstriumph verew'gen. Geh,
Und auf das schnellste bring' mir, was sie sagt,
Und wie du sie gefunden!

PROCULEJUS.

Ich eile, Cäsar.

Ab.

CÄSAR.

Gallus, begleit' ihn! Wo ist Dolabella,
Zu helfen Proculejus? –

Gallus geht ab.

AGRIPPA UND MÄCENAS.

Dolabella!

CÄSAR.

Laßt ihn; denn eben jetzt besinn' ich mich,

Wozu ich ihn gebraucht. Er muß bald hier sein. –
Kommt mit mir in mein Zelt; da sollt ihr hören,
Wie schwer ich mich für diesen Krieg entschied,
Wie mild und ruhig ich mich stets geäußert
In allen Briefen. Folgt mir, und erfahrt,
Was mich euch mitzuteilen drängt!

Alle ab.

Zweite Szene

Alexandrien. Ein Zimmer im Monument. Cleopatra, Charmion und Iras treten auf.

CLEOPATRA.
Schon gibt Verzweiflung mir ein beßres Leben;
Armselig ist es, Cäsar sein: da er
Fortuna nicht, ist er nun Knecht Fortunens,
Handlanger ihres Willens. – Größe ist's,
Das tun, was alle andern Taten endigt,
Zufall in Ketten schlägt, verrammt den Wechsel,
Fest schläft, und nicht nach jenem Kot mehr hungert,
Des Bettlers Amm' und Cäsars.

Proculejus, Gallus und Soldaten erscheinen unten an der Tür des Begräbnisses.

PROCULEJUS.
Cäsar begrüßt Ägyptens Königin,
Und heißt dich sinnen, welchen bill'gen Wunsch
Er dir gewähren soll.
CLEOPATRA *von innen.*
Wie ist dein Name? –
PROCULEJUS.
Mein Nam' ist Proculejus.

CLEOPATRA.

Marc Anton
Sprach mir von Euch, hieß mich auf Euch vertraun;
Doch wenig soll mich's kümmern, ob Ihr täuscht,
Da Gradheit mir nicht nutzt. Will Euer Herr
Zu seiner Bettlerin ein fürstlich Haupt,
Sagt: Majestät, schon wohlstandshalber, dürfe
Nicht wen'ger betteln als ein Reich. Gefällt's ihm,
Für meinen Sohn Ägypten mir zu schenken,
So gibt er mir so viel des Meinen, daß ich
Ihm knieend danken will.

PROCULEJUS.

Habt guten Mut!
Ihr fielt in Fürstenhand, seid unbesorgt:
Vertraut Euch ohne Rücksicht meinem Herrn,
Der so voll Gnad' ist, daß sie überströmt
Auf alle Hülfsbedürft'gen. Ich bericht' ihm
Eu'r sanftes Unterwerfen, und als Sieger
Erscheint er Euch, der das von Euch erbittet,
Um was Ihr knieend fleht.

CLEOPATRA.

O meldet ihm,
Ich, seines Glücks Vasallin, bring' ihm dar
Die Hoheit, die er sich gewann; gehorchen
Lern' ich jetzt stündlich, und mit Freuden säh' ich
Sein Angesicht.

PROCULEJUS.

Dies sag' ich, werte Fürstin;
Seid ruhig, denn ich weiß, Eu'r Unglück weckt
Des Mitleid, der's veranlaßt.

GALLUS.

Ihr seht, wie leicht wir jetzt sie überfallen!

Proculejus und einige von der Wache ersteigen das Grabmal auf einer Leiter und umringen Cleopatra. Zugleich wird das Tor entriegelt und aufgesprengt.

Bewacht sie gut, bis Cäsar kommt!

Ab.

IRAS.
O Fürstin!
CHARMION.
Cleopatra! Du bist gefangen, – Fürstin! –
CLEOPATRA.
Schnell, liebe Hand!

Zieht einen Dolch hervor.

PROCULEJUS.
Halt, edle Frau; laßt ab!

Ergreift und entwaffnet sie.

Tut Euch nicht selbst so nah; dies soll Euch retten,
Nicht Euch verraten!
CLEOPATRA.
Auch den Tod mißgönnt Ihr,
Der selbst den Hund von seiner Angst erlöst?
PROCULEJUS.
Entzieht Euch nicht des Feldherrn Gnade, Fürstin,
Durch Euern Untergang! – Die Welt erfahre
Das Wirken seiner Großmut, das Eu'r Tod
Nicht läßt zum Ziel gelangen.
CLEOPATRA.
Tod, wo bist du? –
Komm her! Komm, komm! Nimm eine Königin,
Mehr wert als viele Säuglinge und Bettler! –

PROCULEJUS.

O mäßigt Euch! –

CLEOPATRA.

Freund, keine Speise nehm' ich, Freund, nicht trink' ich,
Und wenn auch müßig Schwatzen nötig ist,
Schlaf' ich auch nicht: dies ird'sche Haus zerstör' ich;
Tu' Cäsar, was er kann. Wißt, Herr, nicht frön' ich
In Ketten je an Eures Feldherrn Hof,
Noch soll mich je das kalte Auge zücht'gen
Der nüchternen Octavia. Hochgehoben
Sollt' ich des schmäh'nden Roms jubelndem Pöbel
Zur Schau stehn? Lieber sei ein Sumpf Ägyptens
Mein freundlich Grab! Lieber in Nilus' Schlamm
Legt mich ganz nackt, laßt mich die Wasserfliege
Zum Scheusal stechen; lieber macht Ägyptens
Erhabne Pyramiden mir zum Galgen,
Und hängt mich auf in Ketten!

PROCULEJUS.

Ihr dehnt weiter
Die Bilder solches Schauders, als Euch Cäsar
Veranlassung wird geben.

Dolabella tritt auf.

DOLABELLA.

Proculejus,
Was du getan, weiß Cäsar, dein Gebieter. –
Er hat gesandt nach dir; die Königin
Nehm' ich in meine Hut.

PROCULEJUS.

Wohl, Dolabella,
Mir um so lieber. Seid nicht streng mit ihr! –
Cäsarn bestell' ich, was du irgend wünschest,

Wenn du mir's aufträgst.
CLEOPATRA.
Sprich, ich wolle sterben!

Proculejus mit den Soldaten ab.

DOLABELLA.
Erhabne Kais'rin, hörtet Ihr von mir?
CLEOPATRA.
Ich weiß nicht.
DOLABELLA.
Ganz gewiß, Ihr kennt mich schon.
CLEOPATRA.
Gleichviel ja, wen ich kenne, was ich hörte. –
Ihr lacht, wenn Frau'n und Kinder Träum' erzählen;
Nicht wahr? Ihr lacht? –
DOLABELLA.
Was wollt Ihr damit sagen?
CLEOPATRA.
Mir träumt', es lebt' ein Feldherr Marc Anton, –
Ach, noch ein solcher Schlaf, damit ich nur
Noch einmal sähe solchen Mann! –
DOLABELLA.
Gefällt's Euch ...
CLEOPATRA.
Sein Antlitz war der Himmel: darin standen
Sonne und Mond, kreisten und gaben Licht
Dem kleinen O, der Erde.
DOLABELLA.
Hohes Wesen, ...
CLEOPATRA.
Den Ozean überschritt sein Bein; sein Arm,
Erhoben, ward Helmschmuck der Welt; sein Wort

War Harmonie, wie aller Sphären Klang,
Doch Freunden nur;
Denn galt's, den Weltkreis stürmisch zu erschüttern,
Ward es ein donnernd Schelten. Seine Güte –
– Kein Winter jemals; immer blieb sie Herbst,
Die mehr noch wuchs im Ernten: Seine Freuden –
Delphinen gleich: – stets ragte hoch sein Nacken
Aus ihrer Flut; es trugen seine Farben
Krone wie Fürstenhut; gleich Münzen fielen
Ihm aus der Tasche Königreich' und Inseln –

DOLABELLA.

Cleopatra, ...

CLEOPATRA.

Gab es wohl jemals, gibt's je solchen Mann,
Wie ich ihn sah im Traum? –

DOLABELLA.

Nein; edle Fürstin! –

CLEOPATRA.

Du lügst, hinauf bis zu dem Ohr der Götter!
Doch gab es je, gibt's jemals einen solchen,
So überragt er alle Phantasie: –
Stoff mangelt der Natur,
Die Wunderform des Traums zu überbieten;
Doch daß sie einen Marc Anton ersann,
Dies Kunststück schlug die Traumwelt völlig nieder,
All ihre Schatten tilgend.

DOLABELLA.

Fürstin, hört:
Groß wie Ihr selbst ist Eu'r Verlust, und Ihr
Tragt ihn der Last entsprechend. Mög' ich nie
Ersehntes Ziel erreichen, fühl' ich nicht
Durch Rückschlag Eures Grams den tiefsten Schmerz,

Bis in des Herzens Grund!
CLEOPATRA.
Ich dank' Euch, Freund. –
Wißt Ihr, was Cäsar über mich beschloß?
DOLABELLA.
Ich wollt', Ihr wüßtet, was ich ungern sage.
CLEOPATRA.
Ich bitt' Euch, Herr ...
DOLABELLA.
Wie groß sein Edelmut, –
CLEOPATRA.
Er will mich im Triumph aufführen?
DOLABELLA.
Fürstin,
So ist's, ich weiß es.

Hinter der Szene: »Platz! Macht Platz dem Cäsar! –«

Cäsar, Gallus, Proculejus, Mäcenas, Seleucus und Gefolge treten auf.

CÄSAR.
Welch' ist die Kön'gin von Ägypten?
DOLABELLA.
's ist
Der Imperator, edle Frau.

Cleopatra kniet.

CÄSAR.
Steht auf:
Ihr sollt nicht knien, ich bitt' Euch drum; steht auf!
Steht auf, Ägypten!
CLEOPATRA.
Also wollten es

Die Götter; meinem Sieger und Gebieter
Muß ich gehorchen.

CÄSAR.

Trübes Sinnen, ferne!
Erinn'rung aller Unbill, uns erwiesen,
Sei nur, obschon in unser Blut geschrieben,
Wie Kränkung bloß durch Ungefähr.

CLEOPATRA.

Allein'ger Herr der Welt,
Ich kann nicht meinem Tun das Wort so führen,
Daß es ganz klar erscheine: ich bekenn' es,
Mich drücken solche Schwächen, wie schon sonst
Oft mein Geschlecht beschämt.

CÄSAR.

Cleopatra,
Wir wollen mildern lieber als verstärken:
Wenn Ihr Euch unsrer Absicht fügsam zeigt,
Die gegen Euch sehr sanft ist, findet Ihr
Gewinn in diesem Tausch. Doch wenn Ihr sucht
Auf mich den Schein der Grausamkeit zu werfen,
Antonius' Bahn betretend, raubt Ihr Euch
Was ich Euch zugedacht: stürzt Eure Kinder
In den Ruin, vor dem ich gern sie schützte,
Wenn Ihr darauf verharrt. – So geh' ich nun.

CLEOPATRA.

Das könnt Ihr, durch die Welt hin! Sie ist Euer,
Und uns, Schildzeichen und Trophäen gleich,
Hängt auf, wo's Euch gefällt! Hier, edler Herr ...

CÄSAR.

Ihr selbst sollt für Cleopatra mir raten.

CLEOPATRA.

Hier steht an Geld, Gerät und Schmuck verzeichnet

Was mein Besitz: es ist genau verfaßt,
Nur Kleinigkeiten fehlen; wo ist Seleucus?

SELEUCUS.
Hier, Fürstin.

CLEOPATRA.
Dies ist mein Schatzverwalter; fragt ihn, Herr;
Daß ich Euch nichts entzog, laßt ihn versichern
Bei seiner Pflicht! – Seleucus, sprich die Wahrheit! –

SELEUCUS.
Eh' schließt den Mund mir, als daß ich auf Pflicht
Versichre, was nicht wahr!

CLEOPATRA.
Was denn verhehlt' ich?

SELEUCUS.
Genug, damit zu kaufen, was Ihr hergabt.

CÄSAR.
Errötet nicht, Cleopatra! Ich lob' Euch
Für Eure Klugheit.

CLEOPATRA.
Seht, o Cäsar, lernt
Des Siegers Macht! Die Meinen werden Euer,
Und tauschen wir das Glück, die Euern mein.
Dieses Seleucus schnöder Undank macht
Ganz wütend mich. O Sklav! Nicht treuer du
Als feile Liebe! Schleichst du fort? Du sollst
Fortschleichen, glaub' mir's! Doch dein Aug' erhasch' ich,
Und hätt' es Flügel: Hund! Sklav'! Fühllos Tier! –
O Schandfleck, einzig! –

CÄSAR.
Fürstin, mäßigt Euch! –

CLEOPATRA.
O Cäsar, wie verwundet diese Schmach,

Daß, wenn du würdigst selbst mich hier zu sehn,
Die Ehre gönnend deiner Fürstlichkeit
Der tief Gebeugten, – daß mein eigner Knecht
Entehrt die große Summe meines Unglücks
Durch Zutat seiner Bosheit! – Gesetzt auch, Cäsar,
Daß ich behielt ein wenig Frauentand,
Unwichtig Spielwerk, Dinge solches Wertes,
Wie man sie leichten Freunden schenkt; – gesetzt,
Ein edles Kleinod hätt' ich aufgespart
Für Livia und Octavia, ihr Vermitteln
Mir zu gewinnen: – mußte mich verraten
Ein Mensch, den ich genährt? O Gott, das stürzt mich
Noch tiefer als mein Fall. Du weilst noch? – Fort! –
Sonst sollen Funken meines Geistes sprühn
Aus meines Unglücks Asche. Wärst du menschlich,
Du hätt'st Mitleid für mich.

CÄSAR.
Geht fort, Seleucus!

Seleucus geht.

CLEOPATRA.
Ihr wißt, uns Größte trifft so oft Verdacht
Um das, was andre taten; fallen wir,
So kommt auf unser Haupt die fremde Schuld,
Statt Mitleid, das uns ziemte.

CÄSAR.
Königin,
Nicht was Ihr angezeigt, noch was verhehlt,
Woll'n wir als Beute ansehn: Euch verbleib' es!
Schaltet damit nach Willkür. Denkt auch nicht,
Cäsar sei Handelsmann, mit Euch zu dingen
Um Kaufmannswaren: deshalb seid getrost,

Macht Euren Wahn zum Kerker nicht! Nein, Teure,
Wir wollen so mit Euch verfügen, wie
Ihr selbst uns raten werdet: eßt und schlaft;
So sehr gehört Euch unsre Sorg' und Tröstung,
Daß Ihr als Freund uns finden sollt. Lebt wohl!

CLEOPATRA.
Mein Herr! Mein Sieger!

CÄSAR.
Nicht also; lebt wohl!

Cäsar und sein Gefolge ab.

CLEOPATRA.
Ha, Worte, Kinder! Worte! Daß ich nur
Nicht edel an mir handle! – Horch du, Charmion! –

Spricht leise mit Charmion.

IRAS.
Zu Ende denn! der klare Tag ist hin,
Im Dunkel bleiben wir!

CLEOPATRA.
Komm schnell zurück:
Ich hab' es schon bestellt, es ist besorgt.
Geh, daß man's eilig bringe!

CHARMION.
Ja, so sei's.

Dolabella kommt.

DOLABELLA.
Wo ist die Fürstin?

CHARMION.
Hier.

Geht ab.

CLEOPATRA.

Nun, Dolabella, ...

DOLABELLA.

Auf Eures königlichen Worts Geheiß,
Dem meine Lieb' als heilig treu gehorcht,
Meld' ich Euch dies: durch Syrien denkt nun Cäsar
Den Marsch zu lenken; innerhalb drei Tagen
Schickt er mit Euern Kindern Euch voraus.
Nutzt diese Frist, so gut Ihr könnt: ich tat
Nach Euerm Wunsch und meinem Wort.

CLEOPATRA.

Ich bleib' Euch
Verpflichtet, Dolabella.

DOLABELLA.

Ich Eu'r Knecht.
Lebt, Fürstin, wohl, ich muß dem Cäsar folgen.

CLEOPATRA.

Lebt wohl! Ich dank' Euch.

Dolabella geht ab.

Nun, was denkst du, Iras?
Du, als ein fein ägyptisch Püppchen, stehst
In Rom zur Schau wie ich: Handwerkervolk,
Mit schmutz'gem Schurzfell, Maß und Hammer, hebt
Uns auf, uns zu besehn; ihr trüber Hauch,
Widrig von ekler Speis', umwölkt uns dampfend
Und zwingt zu atmen ihren Dunst.

IRAS.

Verhüten's
Die Götter! –

CLEOPATRA.

O ganz unfehlbar, Iras! Freche Liktorn

Packen uns an wie Huren; schreiend singt uns
Der Bänkelsänger; aus dem Stegreif spielen
Uns selbst und Alexandriens Gelage
Die lust'gen Histrionen: Marc Anton
Tritt auf im Weinrausch; und ein quäkender Junge
Wird als Cleopatra meine Majestät
In einer Metze Stellung höhnen! –

IRAS.
Götter! –

CLEOPATRA.
Ja, ganz gewiß!

IRAS.
Das seh' ich nimmer. Meine Nägel, weiß ich,
Sind stärker als mein Auge.

CLEOPATRA.
Freilich; so nur
Höhnen wir ihren Anschlag und vernichten
Den aberwitz'gen Plan.

Charmion kommt zurück.

Nun, Charmion? Nun?
Schmückt mich als Königin, ihr Frau'n; geht, holt
Mein schönstes Kleid: ich will zum Cydnus wieder,
Und Marc Anton begegnen. Hurtig, Iras! –
Nun, edle Charmion, wirklich enden wir,
Und tatst du heut dein Amt, dann magst du spielen
Bis an den Jüngsten Tag. Bringt Kron' und alles! –

Iras geht. Lärm hinter der Szene.

Was für ein Lärm?

Ein Soldat tritt auf.

SOLDAT.
Es steht ein Bauer draußen,
Der will durchaus mit Eurer Hoheit reden:
Er bringt Euch Feigen.
CLEOPATRA.
Laßt ihn herein!

Soldat ab.

Welch armes Werkzeug oft
Das Edelste vollführt! Er bringt mir Freiheit!
Mein Entschluß wanket nicht; nichts fühl' ich mehr
Vom Weib in mir: vom Kopf zu Fuß ganz bin ich
Nun marmorfest; der unbeständ'ge Mond
Ist mein Planet nicht mehr.

Der Soldat kommt zurück mit einem Bauer, welcher einen Korb trägt.

SOLDAT.
Dies ist der Mann.
CLEOPATRA.
Geh fort und laß ihn hier!

Soldat ab.

Hast du den art'gen Nilwurm mitgebracht,
Der tötet ohne Schmerz?
BAUER. Ja freilich; aber ich möchte nicht der Mann sein, der's Euch riete, Euch mit ihm abzugeben, denn sein Beißen ist ganz unsterblich: die, welche daran verscheiden, kommen selten oder nie wieder auf.
CLEOPATRA. Weißt du von einem, der daran gestorben?
BAUER. Sehr viele; Mannsleute und Frauensleute dazu: ich hörte ganz kürzlich, noch gestern, von einer, ein recht braves Weib,

nur etwas dem Lügen ergeben (und das sollte eine Frau nie sein, außer in redlicher Art und Weise), die erzählte, wie sie an seinem Biß gestorben war, was sie für Schmerzen gefühlt. Mein' Seel', sie sagt viel Gutes von dem Wurm; aber wer den Leuten alles glauben will, was sie sagen, dem hilft nicht die Hälfte von dem, was sie tun. Das ist aber auf jeden Fall eine inkomplete Wahrheit: der Wurm ist ein kurioser Wurm.

CLEOPATRA. Geh, mach' dich fort, leb wohl!

BAUER. Ich wünsche Euch viel Zeitvertreib von dem Wurm.

CLEOPATRA. Leb wohl!

BAUER. Das müßt Ihr bedenken, seht Ihr, daß der Wurm nicht von Art läßt.

CLEOPATRA. Ja, ja, leb wohl!

BAUER. Seht Ihr, dem Wurm ist nicht zu trauen, außer in gescheiter Leute Händen; denn mein' Seel', es steckt nichts Gutes in dem Wurm.

CLEOPATRA. Sei unbesorgt, wir woll'n ihn hüten! –

BAUER. Recht schön! Gebt ihm nichts, ich bitt' Euch, er ist sein Futter nicht wert.

CLEOPATRA. Wird er mich essen?

BAUER. Denkt doch nicht, ich wäre so dumm, daß ich nicht wissen sollte, der Teufel selbst werde kein Weibsbild essen. Ich weiß, ein Weibsbild ist ein Gericht für die Götter, wenn's der Teufel nicht zugerichtet hat; aber mein' Seel', diese Hurensöhne von Teufeln machen den Göttern viel Verdruß mit den Weibern: denn von jedem Dutzend, das sie erschaffen, verderben ihnen die Teufel sechse.

CLEOPATRA. Nun geh nur, geh! Leb wohl!

BAUER. Ja wahrhaftig, ich wünsche Euch viel Zeitvertreib von dem Wurm. *Ab.*

Iras kommt zurück mit Krone und Kleid.

CLEOPATRA.

Den Mantel gib, setz' mir die Krone auf,
Ich fühl' ein Sehnen nach Unsterblichkeit!
Nun netzt kein Traubensaft die Lippe mehr. –
Rasch, gute Iras! Schnell! Mich dünkt, ich höre
Antonius' Ruf: ich seh' ihn sich erheben,
Mein edles Tun zu preisen; er verspottet
Des Cäsar Glück, das Zeus nur als Entschuld'gung
Zukünft'gen Zorns verleiht. Gemahl, ich komme! –
Jetzt schafft mein Mut ein Recht mir zu dem Titel!
Ganz Feu'r und Luft, geb' ich dem niedern Leben
Die andern Elemente. – Seid ihr fertig,
So kommt, nehmt meiner Lippen letzte Wärme! –
Leb wohl, du gute Charmion! Liebste Iras,
Ein langes Lebewohl!

Küßt sie, Iras fällt hin und stirbt.

Hab' ich die Natter auf der Lippe? Fällst du?
Kann sich Natur so freundlich von dir trennen?
So trifft uns Tod wie Händedruck des Liebsten,
Schmerzlich und doch ersehnt. Liegst du so still?
Wenn du so hinscheid'st, meldest du der Welt,
Sie sei nicht wert des Abschieds!

CHARMION.

Zerschmilz in Regen, trübe Luft, dann glaub' ich,
Daß selbst die Götter weinen!

CLEOPATRA.

Dies beschämt mich! –
Sieht sie zuerst Antonius' lockig Haupt,
Wird er sie fragen und den Kuß verschwenden,
Der mir ein Himmel ist. – Komm, tödlich Spielzeug,

setzt die Schlange an ihre Brust

Dein scharfer Zahn löse mit eins des Lebens
Verwirrten Knoten! Armer, gift'ger Narr!
Sei zornig, mach' ein End! O könnt'st du reden,
So hört' ich dich den großen Cäsar schelten
Kurzsicht'gen Tropf!

CHARMION.
O Stern des Ostens!

CLEOPATRA.
Still,
Siehst du den Säugling nicht an meiner Brust
In Schlaf die Amme saugen?

CHARMION.
Brich, mein Herz!

CLEOPATRA.
So süß wie Tau! so mild wie Luft! so lieblich –
O mein Antonius! – Ja, dich nehm' ich auch,

setzt eine zweite Schlange an ihren Arm

Was wart' ich noch ...

Fällt zurück und stirbt.

CHARMION.
... in dieser öden Welt? So fahrewohl!
Nun triumphiere, Tod! du führtest heim
Das schönste Frau'nbild. Schließt euch, weiche Fenster!
Den goldnen Phöbus schaun hinfort nicht mehr
So königliche Augen. Deine Krone
Sitzt schief; ich richte sie: dann will ich spielen. –

Wache stürzt herein.

ERSTE WACHE.
Wo ist die Königin?

CHARMION.
Still, weckt sie nicht! –
ERSTE WACHE.
Cäsar schickt ...
CHARMION.
Viel zu langsam seine Boten! –

Setzt sich die Schlange an.

O komm! Nun schnell! Mach' fort! Dich fühl' ich kaum!
ERSTE WACHE.
Kommt her; hier steht es schlimm, sie täuschten Cäsarn!
ZWEITE WACHE.
Ruft Dolabella, Cäsar sandt' ihn her!
ERSTE WACHE.
Was gibt's hier? Charmion, ist das wohlgetan? –
CHARMION.
Ja, wohlgetan; und wohl ziemt's einer Fürstin,
Die so viel hohen Königen entstammt –
Ah, Krieger! –

Stirbt.

Dolabella tritt auf.

DOLABELLA.
Wie steht's hier?
ZWEITE WACHE.
Alle tot.
DOLABELLA.
Cäsar, dein Sorgen
Verfehlte nicht sein Ziel. Du selber kommst,
Erfüllt zu sehn die grause Tat, die du
Gern hindern wolltest.

Hinter der Szene: »Platz für Cäsar! Platz! –«
Cäsar tritt auf mit Gefolge.

DOLABELLA.
O Herr! Ihr wart ein allzu sichrer Augur:
Was Ihr besorgt, geschah.
CÄSAR.
Ihr End' erhaben! –
Sie riet, was wir gewollt, und königlich
Ging sie den eignen Weg. Wie starben sie?
Ich seh' kein Blut.
DOLABELLA.
Wer war zuletzt mit ihnen?
ERSTE WACHE.
Ein schlichter Landmann, der ihr Feigen brachte;
Dies war sein Korb.
CÄSAR.
Gift also! –
ERSTE WACHE.
Eben noch,
O Cäsar, lebte Charmion, stand und sprach,
Und ordnet' an dem Königsdiadem
Der toten Herrin; zitternd stand sie da,
Und plötzlich sank sie nieder.
CÄSAR.
Edle Schönheit!
Hätten sie Gift geschluckt, so fände sich
Geschwulst von außen; doch sie gleicht dem Schlaf,
Als wollte sie Anton von neuem fangen
Im starken Netz der Schönheit.
DOLABELLA.
Ihre Brust
Ist blutgefärbt und etwas aufgeschwollen,

Und ebenso ihr Arm.

ERSTE WACHE.

Dann war's 'ne Schlange: auf den Feigenblättern
Ist Schleim zu sehn, so wie die Schlang' ihn läßt
In Höhlungen des Nils.

CÄSAR.

Sehr zu vermuten,
Daß so sie starb: denn mir erzählt' ihr Arzt,
Wie oft und wiederholt sie nachgeforscht
Schmerzlosen Todesarten. Nehmt ihr Bett
Und tragt die Dienerinnen fort von hier:
Mit ihrem Marc Anton laßt sie bestatten! –
Kein Grab der Erde schließt je wieder ein
Solch hohes Paar. Der ernste Ausgang rührt
Selbst den, der ihn veranlaßt, und ihr Schicksal
Wirbt so viel Leid für sie, als Ruhm für den,
Der sie gestürzt. Laßt unsre Kriegerscharen
In Feierpracht begleiten diese Bahren,
Und dann nach Rom! – Komm, Dolabella, dir
Vertraun wir der Bestattung große Zier.

Alle gehn ab.